L'ULTIME PARDON

... au-delà de la vie

André Harvey

L'ULTIME PARDON

... au-delà de la vie

Éditions de Mortagne

Données de catalogage avant publication (Canada)

Harvey, André

  L'ultime pardon

  ISBN 2-89074-462-0

  1. Réincarnation. 2. Vie future. 3. Pardon. I. Titre.

BF1729.R37H37 1993   133.9'01'3   C93-096784-4

Édition
Les Éditions de Mortagne
250, boul. Industriel, bureau 100
Boucherville (Québec)
J4B 2X4

Distribution
Tél.: (514) 641-2387
Téléc.: (514) 655-6092

Dépôt légal
Bibliothèque nationale du Canada
Bibliothèque nationale du Québec
Bibliothèque nationale-Paris
3e trimestre 1993

ISBN: 2-93074-462-0

3 4 5 - 93 - 97 96 95

Imprimé au Canada

Remerciements sincères...

à ma mère, *Reine-Marguerite*, qui s'est dévouée corps et âme avec le dynamisme de ses quatre-vingts jeunes années, à copier et recopier inlassablement mes textes sur son ordinateur...;

à mon frère, *Jean-Pierre*, qui a accepté avec tant d'empressement et en un temps record d'y ajouter sa touche finale;

à une grande amie, *Madeleine*, qui a mis si généreusement à ma disposition cette oasis de paix au cœur duquel j'ai toujours pu trouver l'inspiration nécessaire pour pouvoir écrire ce livre;

à tous ceux et celles qui, de près ou de loin, ont été à leur façon des sources intarissables de motivation pour moi.

L'ULTIME PARDON
au-delà de la vie

Ce livre est dédié à Bertrand, dont l'accident terrible m'a inspiré cette histoire, comme si tout événement, aussi pénible qu'il puisse paraître, conservait toujours un côté positif.

Que ce bouquin soit une apaisante lueur pour tous ces hommes et ces femmes qui n'ont jamais trouvé les raisons ni la force de vraiment... pardonner.

Table des matières

Préface

André Harvey appartient à la catégorie des écrivains modernes que l'on peut considérer comme des «messagers».

Ses écrits s'adressent davantage au cœur qu'à la tête. Avec ce troisième volume, *L'ULTIME PARDON au-delà de la vie*, il entraîne le lecteur dans une aventure où l'évidence que le hasard n'existe pas s'impose.

«Tout a sa raison d'être», comme il le dit si bien. Pourtant, des milliers d'êtres humains se détruisent sous le poids de culpabilités, de rancunes qu'ils transportent et transposent dans leur quotidien.

Puisque tu as acheté ou reçu ce livre, c'est qu'inconsciemment, tu as toi aussi choisi d'entreprendre l'aventure de l'ultime pardon.

Puisse ce volume être à la fois ton guide et ton instrument sur la voie de ta libération.

Claudia Rainville

Introduction

Un jour que je me préparais à me rendre à un Salon du livre, mon épouse me demanda de lui dénicher un bouquin traitant du pardon. Elle voulait l'offrir à l'un de ses amis hospitalisés à la suite d'un grave accident d'automobile. Les circonstances de cet accident étaient telles que nous avions présumé qu'il découlait d'un profond sentiment de culpabilité, se cristallisant en un désir inconscient d'autopunition.

Après une recherche poussée à travers les kiosques du Salon, je me rendis compte que rien ne correspondait à mes attentes sur le sujet.

Le vieux sage qui sommeille en moi me souffla alors ces paroles: «Tu ne l'as pas trouvé parce que c'est toi qui dois l'écrire.» Le soir même, je me mets à l'ouvrage, permettant à cette partie divine qui est en moi de s'extérioriser par le biais de ma plume. Un an plus tard, le manuscrit se retrouvait sur le bureau d'une maison d'édition. Je vous l'offre maintenant comme je l'ai reçu, avec beaucoup d'amour, harmonisé d'un brin d'humour.

Chapitre 1

LE FARDEAU D'UNE VIE

10 octobre, 2 h 32 du matin. La route interminable se déroule dans la lumière des phares qui balaient la nuit. Cette route n'a plus le moindre secret pour Patrice, depuis les dix-sept ans qu'il la parcourt, dans un sens comme dans l'autre, pour se rendre à son travail ou en revenir. Cet aller-retour sur un chemin de désolation presque vide de toute présence humaine est devenu pure routine pour lui. La plupart du temps, seul son corps de chair demeure au volant, son esprit en profitant pour s'évader très loin, dans le rêve, se déchargeant du fardeau, si lourd à supporter, du quotidien. Mais cette fois, les pensées assaillant le conducteur le plongeaient dans le brouillard.

La réunion à laquelle il venait d'assister demeurait au centre de ses préoccupations. Les reproches, les propos blessants qui lui avaient été adressés revenaient un à un à sa mémoire, comme pour le culpabiliser encore plus d'être ce qu'il était, lui renvoyer une image de lui-même qu'il avait peine à regarder en face. Il en était rendu à se considérer comme un enseignant incompétent, dépassé par les événements, inapte à prendre en charge des étudiants de plus en plus difficiles, et bien différents de ceux qu'il avait connus jusque-là.

Depuis quelques semaines, en effet, Patrice avait en quelque sorte perdu la maîtrise de sa classe. Le règne de terreur qu'il avait tenté d'imposer à ses élèves depuis le début de l'année scolaire s'était bizarrement retourné contre lui, contrairement à ce qui s'était passé les années précédentes, alors que ce stratagème lui avait toujours réussi. Cette fois, ses élèves avaient mis à jour l'être vil et sans consistance qu'il était. Ils l'avaient totalement débusqué. Pour des raisons qui lui échappaient encore, le processus de rébellion qui s'était installé semblait maintenant irréversible. Chaque fois qu'il avait le malheur de hausser la voix, d'amorcer la moindre réprimande, ses étudiants se mettaient à chahuter, annihilant par le fait même tous ses efforts pour maintenir la paix.

Le brouhaha associé à ces «manifestations» impromptues se répercutait souvent au-delà des murs des classes avoisinantes, y déclenchant des vibrations négatives, aussi difficiles à gérer que contagieuses. Il n'en fallait pas plus pour qu'une dizaine de lettres de plaintes se retrouvent empilées sur le bureau du directeur de l'institution, l'incitant à prendre les mesures nécessaires pour que cesse ce tintamarre. Une réunion avait aussitôt été convoquée avec toutes les personnes concernées. Patrice avait alors été montré du doigt comme le grand responsable du désordre. Sans trop de conviction, il avait gauchement tenté d'expliquer les raisons de son manque de discipline, mentionnant brièvement les difficultés personnelles qu'il vivait à la suite de son divorce. Mais ses interlocuteurs ne voulaient rien entendre de ses problèmes affectifs, et encore moins ceux qui étaient reliés à sa consommation excessive d'alcool, cause principale de ses déboires. Craquant sous la pression, Patrice se laissa emporter par le flot de ses émotions, et un déluge de paroles aussi provocatrices qu'insensées jaillit de sa bouche, ce qui ne fit qu'accentuer sa déroute. Finalement, les autorités lui servirent un avertissement sévère, qui devait être considéré comme le dernier, sinon, ce serait le renvoi instantané.

Se soustrayant aux reproches de ses accusateurs, Patrice se retira en claquant la porte et il se retrouva seul dans sa voiture, recroquevillé sur lui-même, le cœur tordu.

Il s'était montré indigne de la confiance qu'on lui avait accordée durant toutes ces années d'enseignement. La culpabilité, cette compagne qu'il connaissait si bien et qui le hantait depuis longtemps, avait encore réussi à le rattraper. Parviendrait-il à l'esquiver un jour?

Sur la route glissante et mal éclairée, secoué dans tous les sens par les cahots qui font tanguer la voiture, Patrice ressasse inlassablement les incessants échecs de ses quarante-trois années de vie.

Du fond de son marasme intérieur surgit alors un visage familier, qui hante depuis dix ans les moindres recoins de sa mémoire, tel un fantôme auquel on a fini par s'habituer et qu'on ne peut plus laisser partir, de peur de s'ennuyer. Les yeux pleins de larmes, la bouche tordue par le désespoir, Patrice laisse tomber ces quelques mots, à peine audibles:

«Éric, mon grand ami, me pardonneras-tu jamais de t'avoir assassiné?»

Cette phrase, il l'a répétée des milliers de fois depuis ce fatal accident qui a fait chavirer sa vie, en détruisant un être merveilleux qui ne demandait qu'à vivre... Comment savoir si, de son nuage, le «petit frère», comme il se plaisait à l'appeler dans le temps, lui avait pardonné, à lui, son assassin? Ces interrogations sur le pardon au-delà de la vie l'obsédaient depuis des années. Si, comme il l'avait toujours cru, tout se terminait avec la mort, si rien ne survivait après la disparition du corps physique, Éric ne saurait jamais comment son meilleur copain était désolé du geste involontaire, quoique définitif, qu'il avait posé! Si, au contraire, l'âme continuait à vivre dans l'au-delà, dans cette après-vie si mystérieuse, quelle rancune il devait entretenir!

Ces questions existentielles tourbillonnaient dans la tête de Patrice, pendant que son automobile continuait de rouler à vive allure sur la route, conduite par un homme dont les pensées se trouvaient à des milliers de kilomètres de là, tout en haut, un homme dont les deux mains étaient presque laissées à elle-même. Alors commencèrent à défiler devant ses yeux les images de ce film d'horreur qu'il connaissait par cœur, pour l'avoir vu et revu si souvent durant les dix dernières années. C'était comme s'il voulait garder bien vivants dans ses souvenirs les remords qui l'habitaient depuis cet accident mortel.

Chapitre 2

ÉRIC

Dix ans plus tôt, jour pour jour, ce détail s'imposa à son esprit comme un présage menaçant, Patrice revenait chez lui par cette même route sombre et déserte qu'il parcourait en ce moment.

Ce jour-là, il s'était lamentablement saoulé pour tenter de chasser de ses pensées le souvenir de Marie, cette femme si merveilleuse, qui avait été le soleil de sa vie, mais qu'il n'avait su garder auprès de lui. Trois courtes années avaient suffi pour les éloigner l'un de l'autre. Depuis leur douloureuse séparation, Patrice avait trouvé refuge dans la boisson, un refuge précaire peut-être, mais souvent si réconfortant. Tout cet alcool qu'il avait ingurgité avait endormi la plupart de ses réflexes. Même s'il en était conscient, il se disait: «Tant pis, si je meurs, ce ne sera qu'un bon débarras pour la société... et j'aurai enfin la paix!»

Pendant qu'il ruminait ces sombres pensées, Éric, un ami d'enfance qui avait toujours été en quelque sorte son ange gardien et qui n'avait jamais cessé de l'aimer, malgré ses défauts, se trouvait sur le même route que lui, vingt-cinq kilomètres plus loin, mais roulant en direction opposée. Quelques minutes plus tôt, Jeannine, la nouvelle flamme de Patrice, avait appelé Éric pour lui dire que Patrice n'était pas encore rentré et qu'un bizarre pressentiment la tenaillait. Redoutant le pire, Éric s'était habillé en toute hâte, puis tendrement, il avait effleuré de ses lèvres la joue soyeuse de son épouse, cette magnifique fleur endormie à ses côtés, et il avait pris la route pour venir à la rescousse de cet idiot de Patrice, qui s'était probablement encore mis les pieds dans les plats, comme à son habitude.

Ce n'était pas la première fois qu'il se faisait ainsi réveiller au beau milieu de la nuit, mais c'était toujours plus fort que lui, il accourait constamment, sans poser de questions, poussé par les élans de son cœur. Une force irrésistible le poussait à venir en aide à cet être sans scrupules appelé Patrice. Combien de fois avait-il eu envie de le laisser tomber, d'abandonner à lui-même ce vieil imbécile, ivrogne de surcroît, qui semblait se complaire dans les mille et un malheurs qu'il ressassait sans cesse, comme pour mieux se faire plaindre.

Même en se torturant les méninges, Éric n'arrivait pas à comprendre pourquoi il ne trouvait pas la force d'abandonner à son propre sort cet énergumène. Ce lien d'amitié qui les unissait depuis toujours était aussi incompréhensible qu'indestructible. À la vérité, deux frères jumeaux n'auraient pas été plus près l'un de l'autre que ne l'étaient Patrice et Éric. Peut-être qu'un jour Éric pourrait trouver les raisons qui le poussaient ainsi à poursuivre cette mission d'entraide qu'il s'était donnée et qui semblait devoir se perpétuer indéfiniment. Cependant, il était très loin de se douter que la réponse à cette énigme lui viendrait quelques instants plus tard.

Une pluie fine s'était mise à tomber, s'intensifiant à chaque kilomètre que l'auto dévorait. Dans ce terrain montagneux, les nuages rasaient le sol et c'était encore pire quand il pleuvait. Éric réussit à transcender les effets de la triste situation dans laquelle il se trouvait et se surprit même à esquisser un sourire. La pensée de cet ange qu'il venait de laisser derrière lui, au creux de son lit, ensoleillait son cœur. Pendant une fraction de seconde, son âme alla retrouver sa belle qui sommeillait doucement sous les draps soyeux de leur nid d'amour. Soudain, son univers bascula. Droit devant lui, les phares d'une voiture surgirent dans la nuit, juste à la sortie de cette stupide courbe qu'il avait si souvent maudite. Puis, ce fut l'impact fatal, l'explosion de la vie, la grande noirceur... Éric était mort, tué par son meilleur ami.

Chapitre 3

LA VIE SUIT TOUJOURS SON COURS

Ce film intérieur qu'il venait de visionner, et dont il connaissait maintenant les moindres détails, éveillait chez Patrice des souvenirs empreints d'horreur et de remords, mais également de tendresse, car les images mettaient en évidence une amitié qu'il ne rencontrerait plus jamais. Depuis dix ans, chaque fois qu'il s'apprêtait à prendre cette courbe comme il le faisait présentement, une vague d'émotions lui remontaient à la gorge, et il revivait immanquablement la terrible scène. Bien des choses s'étaient pourtant passées depuis...

Après les deux mois interminables qu'il avait passés à l'hôpital à la suite de son accident, Patrice avait peu à peu repris la maîtrise de sa vie. Il n'avait plus touché à un seul verre d'alcool, et les innombrables heures où il avait pleuré la disparition de son «petit frère» avaient quelque peu cicatrisé ses blessures intérieures. Cependant, l'une d'elles avait laissé sa chair à vif: à ses yeux, il était un meurtrier et il le demeurerait toujours!

La femme d'Éric n'avait jamais manifesté le désir de le revoir ni d'avoir quelque relation que ce soit avec l'«assassin» de son mari. Indépendamment de sa volonté, elle avait entretenu une haine farouche, tenace, envers cet homme, même si, au fond de son cœur, profondément enfoui dans son inconscient, elle avait le sentiment que Patrice n'était pas réellement coupable de cette mort, puisqu'il n'avait pas agi de façon délibérée.

La famille d'Éric, en particulier ses parents, n'avait pas non plus pardonné au supposé «grand copain» de leur fils. Dans un geste de mépris dicté autant par le désarroi que par la rancœur, ils étaient même allés jusqu'à envoyer à Patrice, immobilisé sur son lit d'hôpital, une gerbe funéraire en forme de croix portant l'inscription suivante: «Au meurtrier de notre fils... Puisse-t-il se repentir jusqu'à la fin de ses jours».

Patrice n'avait plus jamais eu de nouvelles d'eux, pas plus qu'il ne les avait revus. Ce que ces gens lui avaient légué, c'était la pire, la plus cruelle des vengeances: un bouquet de remords éternels. Cette gerbe de fleurs transformée en couronne mortuaire avait réussi à provoquer chez lui un sentiment profond et tenace de culpabilité qui allait le hanter et le miner à chaque instant de sa pénible vie qui, elle, continuait!

Comme prévu, ce cadeau imprégné de fiel empoisonna chacune des journées de Patrice, qui se referma de plus en plus sur lui-même. Sa vie sombrait dans la plus morne mélancolie, projetant sur lui l'ombre de son passé. Petit à petit, une monstrueuse «forme-pensée» s'imprégna en lui: un assassin ne méritait pas de vivre heureux; il devait donc payer... Quand? Comment? Patrice l'ignorait mais... cela devait se réaliser un jour, et ce jour arriva plus vite que prévu.

Toujours au volant de son automobile, Patrice essayait d'échapper à ces pensées harassantes qui, depuis belle lurette, étaient devenues les fidèles compagnes de son triste quotidien. Comme il se penchait pour atteindre le bouton de la radio, deux énormes phares surgirent de l'ombre, dans cette même courbe où son cauchemar avait commencé, dix ans plus tôt. Les menaçantes lueurs fonçaient droit sur lui, à toute vitesse. Patrice n'eut pas le temps de les esquiver. L'impact fut terrible. En une fraction de seconde, Patrice se sentit expulsé de son corps physique et projeté dans un univers jusqu'alors inconnu. Cette partie de lui-même qui semblait avoir survécu à l'accident se retrouva flottant au-dessus des carcasses fumantes et tordues des deux automobiles. Dans un ultime effort pour reprendre sa vie en main, Patrice tenta de réintégrer ce corps qui gisait dans la voiture, quelques mètres plus bas. Mais la carcasse ensanglantée et inerte qu'il y trouva le détourna de son dessein. À travers les yeux de son âme, Patrice aperçut le conducteur de l'autre voiture qui se hissait péniblement hors de son véhicule par le pare-brise éclaté. Se remettant péniblement debout, il avança en titubant, prononçant des paroles vides de sens, qui en disaient long sur son état.

Se laissant flotter au-dessus de la scène, Patrice renifla les odeurs d'alcool qui se dégageaient et il se rendit compte que cet homme était ivre. De plus, il ne semblait aucunement intéressé par le sort du conducteur emprisonné dans l'autre véhicule. Dans un geste de rage et de dépit, Patrice tenta de saisir cet individu par les épaules pour le faire réagir, mais ses mains le traversèrent, sans qu'il semble en avoir le moindrement conscience.

Le choc fut terrible, pire que l'accident lui-même. Avec stupeur, Patrice comprit qu'il était mort et que ce corps méconnaissable qui gisait dans cet amas de ferraille, en plein centre de la route ténébreuse, c'était en fait le sien! Mais pourquoi continuait-il à vivre s'il était mort? Tout cela n'avait pas de sens. S'agissait-il d'un rêve, d'une hallucination? Mais non, ce qu'il ressentait était bien trop réel...

Il avait souvent éprouvé cette sensation de légèreté au cours de ses rêves. Il avait alors vraiment l'impression de danser et de voler librement dans les airs, un peu comme Superman dans le ciel de New York. Même qu'au réveil, il se rappelait exactement, dans les moindres détails, les prouesses aériennes qu'il avait accomplies durant son sommeil. Malheureusement, à cette époque, son ouverture spirituelle était tellement limitée qu'il avait vite fait de ranger aux oubliettes ces «rêves stupides» dépourvus de toute logique. Mais maintenant, voilà que la fiction devenait réalité. Patrice devait se rendre à l'évidence: l'être humain possédait bel et bien une âme, une âme immortelle et indestructible qui survivait au corps.

Un bruit déchirant la nuit le tira de ses pensées. C'était l'ambulance qui venait briser l'ineffable silence qui avait établi sa loi depuis déjà quelques minutes. Deux hommes descendirent en trombe et, avec un zèle tout à fait remarquable, ils tentèrent de ramener à la vie cet amas de chair à forme vaguement humaine qui gisait, tel un chiffon, dans l'une des voitures. Se rapprochant de l'ambulancier qui s'évertuait à pratiquer sur lui différentes techniques de réanimation, Patrice lui souffla à l'oreille:

«Pas la peine, mon vieux, je ne reviendrai plus. Merci quand même.»

L'homme ne broncha pas et continua son travail de plus belle, l'intensité de ses émotions l'empêchant d'entendre quoi que ce soit. Patrice répéta sa phrase, mais cette fois, il s'adressa à l'autre ambulancier qui lui, avait su garder son calme. Regardant son collègue, il fit un signe de tête et laissa tomber ces paroles:

«Trop tard, laisse tomber, il n'y a plus rien à faire.»

Voyant l'inutilité de leurs efforts, les deux hommes cessèrent leurs manœuvres. Ils aperçurent alors le conducteur de l'autre véhicule, qui s'était affaissé un peu plus loin et qui cuvait son vin dans une profonde insouciance et une déroutante inconscience du drame qui venait de se produire. En moins de deux, celui-ci fut placé dans l'ambulance qui s'enfonça rapidement dans la nuit.

Dès que le calme fut revenu, Patrice voulut s'éloigner de cet amas de ferraille qui le retenait prisonnier et qui dégageait une atmosphère intenable de violence et d'émotions désagréables. Il se dirigea quelques mètres plus loin pour faire le point sur la situation dans laquelle il se trouvait. Il se laissa pénétrer par le silence, ce même silence qui lui faisait tellement peur durant ces dernières années parce qu'il le mettait face à lui-même, face aux innombrables fautes qui avaient jalonné sa vie manquée! Mais bizarrement, ce silence, cette douce tranquillité l'enveloppait maintenant d'un parfum très agréable! Prenant même un certain plaisir à se laisser ainsi flotter, tel un nuage au gré de la brise, Patrice entreprit de faire une espèce de rétrospective des heures qui venaient de s'écouler. Il tenta encore, sans grand succès, de se convaincre que tout cela n'était qu'un rêve, un cauchemar dont il allait à coup sûr sortir brusquement. Mais il dut se rendre à l'évidence: tout cela était bien réel.

Regardant autour de lui, il vit que tout était redevenu calme. Seules les carcasses encore fumantes des automobiles indiquaient qu'un événement tragique avait eu lieu à cet endroit. Lentement, Patrice était en train de retrouver la paix. Soudain, une force irrésistible fit jaillir de lui un grand cri qui se répercuta dans la nuit, un cri rempli à la fois d'amertume et de soulagement. Puis, une pensée émana de son âme en peine:

«Enfin! c'est fait. J'ai payé pour le crime que j'ai commis! On ne m'en voudra plus maintenant. Je suis libéré.»

C'était tellement clair dans sa tête... Depuis des années qu'il cultivait sa culpabilité, il avait enfin réussi à attirer vers lui, et même à provoquer, cet accident fatal en guise d'autopunition. Il s'était lui-même infligé ce châtiment et semblait si heureux d'avoir maintenant expié... Tout devenait de plus en plus limpide dans son esprit; chaque minute, chaque seconde prenait un sens précis.

Mais en dépit de cette prise de conscience, Patrice se sentait très seul. Si bien que la panique s'empara de lui. Son regard se mit à scruter l'espace infini qui l'entourait, dont l'immensité amplifiait encore son sentiment de solitude. Personne à qui parler! Aucune communication possible! Rien d'autre autour de lui qu'une vaporeuse réalité qu'il ne pouvait même plus toucher. Que faisait-il là, pour l'amour du ciel, à flotter entre deux mondes?

Bien sûr, Patrice connaissait l'univers terrestre qu'il venait de quitter brutalement, mais il n'avait pas la moindre idée de celui dans lequel il venait tout juste d'être projeté et encore moins de l'endroit où il allait se retrouver! Cependant, il devenait de plus en plus évident pour lui que la vie ne s'arrêtait pas là, qu'il devait y avoir autre chose, plus haut, ou plus bas, ou plus loin, enfin quelque part ailleurs. L'éternité ne pouvait vraisemblablement pas s'écouler stupidement au-dessus d'une route déserte, dans un monde où le temps semblait ne plus exister, dans un univers où la solitude prenait tant de place qu'elle rendait impensable tout espoir de survie.

Cette période de découragement obligea Patrice à effectuer un profond questionnement intérieur, ce qui lui permit d'amorcer un bénéfique cheminement. C'est alors que le miracle se produisit. Une réflexion faite par Éric, très longtemps auparavant, retentit subitement en lui, au moment où il s'y attendait le moins:

«Tu sais Patrice, lui avait-il lancé, tentant ainsi d'ouvrir une brèche dans l'épaisse carapace dont s'était, hélas, entouré son ami, j'ai lu dans un bouquin qu'après la mort, la vie continuait, que notre âme quittait notre corps de chair et que l'on se sentait alors si léger, libre comme l'air... Apparemment, selon ce qui est écrit, il suffit de croire qu'il existe autre chose au-delà de la vie, un ciel, un endroit lumineux où il fait bon vivre, et de demander l'aide d'un guide pour s'y rendre. Cela semble un peu bizarre, présenté de cette façon, mais moi, j'y crois sincèrement...»

Patrice se rappela avoir alors bêtement ri au nez de son ami, écartant ainsi toute possibilité de se laisser séduire par de stupides croyances concernant l'après-vie, le prolongement de l'existence au-delà du plan physique. Le ciel et l'enfer étaient d'ailleurs, et depuis longtemps, les deux derniers endroits où il aurait voulu se retrouver après sa mort, et pour cause! Quel homme normal aurait pu être tenté par un séjour éternel avec l'effroyable Satan et ses nombreux acolytes munis de fourches rougies par les flammes? Ou encore par une éternité passée dans l'oisiveté, assis à la droite de Dieu, avec comme seul loisir la contemplation des beautés de l'univers en compagnie de petits anges innocents et d'une myriade de grands êtres tous plus sages les uns que les autres? La conception qu'il avait de ces endroits, quelque burlesque qu'elle pût paraître, était tout ce que son esprit avait retenu de l'éducation religieuse et austère de son enfance. Tout ce qu'on avait réussi à lui apprendre, c'était les pages interminables du petit catéchisme.

Bien vite, l'adulte qu'il était devenu avait balayé de son esprit toutes ces sornettes, se gardant bien de s'engager dans des discussions concernant une quelconque survie de l'âme après le trépas. Quand on abordait le sujet devant lui, il évitait soigneusement d'y prendre part, se contentant d'arborer un petit sourire narquois pour signifier que pour lui, après la mort, c'était le trou, point final! «Quel beau programme!» se disait-il au fond de lui-même. Mais cela valait mieux, à ses yeux, qu'une éternité à rôtir aux enfers ou à s'embêter au paradis.

Mais voilà que maintenant, tout était différent. La situation qu'il vivait avait chambardé toutes ses conceptions d'un anéantissement ultime. Ce n'était plus son corps physique qui pensait, parlait et agissait; mais de quoi s'agissait-il, bon sang? Même privée de son enveloppe charnelle qui était restée dans cette automobile de malheur, la vie s'obstinait à suivre son cours, comme si rien ne s'était passé. Le cerveau de Patrice semblait n'avoir jamais cessé d'envoyer des signaux à tous les membres de son nouveau corps de lumière. Par la force des choses, Patrice devait en venir à l'évidence. Nier cet état de chose ne serait que stupide entêtement à s'accrocher à ses vieux préjugés avec lesquels il avait toujours si habilement couvert sa profonde ignorance. Éric avait peut-être raison après tout... Aussitôt que l'homme tourmenté eut ouvert son esprit à l'infini, un autre miracle se produisit.

Dans l'élan sublime de son cœur réagissant à son impuissance et à sa solitude, Patrice laissa jaillir de ses entrailles un déchirant appel à l'aide dans cette nuit désolante, demandant incessamment l'assistance d'un guide comme l'avait jadis prescrit son vieil ami. Sa volonté étant clairement exprimée, une brillante sphère de lumière s'approcha rapidement de lui comme une étoile filante naissant de l'infini. Plus cette splendide lueur avançait, plus un être d'une beauté indescriptible semblait s'en détacher. Patrice avait souvent vu des représentations d'anges dans sa jeunesse, mais comme celui-ci... jamais! L'entité qui s'avançait maintenant vers lui portait une robe d'une blancheur éclatante, sans fil ni aucun autre artifice. Ses yeux d'un bleu azuré faisaient l'effet de deux magnifiques diamants d'où émanaient des reflets dorés et perçants qui véhiculaient par surcroît un amour tout à fait désarmant. L'être de lumière arborait un large sourire aussi profond qu'honnête, une mine réjouie qu'il n'avait jamais rencontrée auparavant.

«On jurerait que tu t'ennuies, seul dans ton coin, murmura l'ange à l'oreille d'un Patrice complètement hébété, dépassé par la tournure des événements. Aurais-tu besoin d'un peu de compagnie, par hasard?»

L'être de lumière se mit alors à rire avec tant de candeur que Patrice, d'un seul élan, se précipita dans ses bras en toute confiance, sanglotant comme un enfant qui vient de retrouver sa mère. L'ange le serra tendrement contre sa poitrine, lui permettant ainsi de se débarrasser du surplus d'émotions qui s'étaient accumulées au cours des dernières heures. Relâchant son étreinte, il poursuivit:

«Mon nom est Éleutra. L'humble travail que j'accomplis dans cet immense univers dont tu ne connais qu'une très infime partie consiste à accompagner vers des dimensions plus élevées les âmes qui en expriment clairement le désir comme tu viens d'ailleurs de le faire... assez bruyamment, tu en conviendras... Mais il faut ce qu'il faut, n'est-ce pas, pour se faire entendre?»

Le guide céleste s'arrêta quelques secondes pour rire encore un bon coup, le temps de permettre à l'atmosphère de se détendre un peu plus.

«Qu'est-ce que je disais? reprit-il. Ah oui! mon rôle est d'escorter les âmes vers leur véritable maison, vers le paradis, comme vous le dites si bien. Toutes les âmes qui se détachent définitivement de leur corps physique se retrouvent, dès leur arrivée dans l'au-delà, au seuil d'une porte. Je ne suis, en quelque sorte, qu'un simple portier. J'ouvre la porte et je dirige les âmes vers l'autre monde.

Éleutra fit silence pendant quelques instants pour permettre à Patrice de se familiariser davantage avec son nouvel état de conscience. Dès qu'il sentit que Patrice avait bien saisi le sens de ses paroles, Éleutra poursuivit ses explications:

«Je comprends parfaitement ce que tu peux ressentir en ce moment, car moi aussi, j'ai eu à traverser des centaines de fois cette étape de la transition, il y a très longtemps. Chaque fois, je m'en souviens, ce fut une période très difficile. Mais ne t'en fais pas, ce qui t'attend plus haut est si beau qu'il te suffira de quelques instants pour oublier ces brefs moments d'insécurité que tu vis actuellement.»

Les paroles de cet être magnifique caressaient comme une brise légère les oreilles de Patrice, faisant bientôt place à un silence absolu. Rassuré, Patrice restait là, blotti contre cette entité d'Amour. Peu à peu, il commençait à accepter sa mort terrestre. Des bribes de souvenirs très anciens refaisaient surface, et la situation qu'il vivait maintenant si intensément lui semblait soudain familière, comme s'il l'avait déjà vécue auparavant...

Sentant la soudaine ouverture d'esprit de son protégé, Éleutra reprit la parole:

«J'ai accepté cette mission d'accompagnateur il y a des milliers d'années, selon votre conception du temps, évidemment, car tu te rendras rapidement compte qu'ici, le temps n'existe tout simplement pas. Il t'en reste encore quelques notions, mais très bientôt, tu en perdras presque le souvenir. Ce travail, donc, que j'ai choisi d'exercer m'aide à parfaire mon évolution, en me permettant de manifester un amour désintéressé aux âmes que je dois guider vers la Lumière. L'Amour est d'ailleurs la seule pré-occupation de tous les êtres qui œuvrent sur l'ensemble des plans divins.»

Sentant l'étonnement de Patrice, l'ange ajouta, comme pour le réconforter:

«L'évolution ne se fait pas que sur la terre, tu sais! Quand une âme atteint la perfection terrestre, ce n'est qu'une toute petite marche qui est gravie, une première étape vers la fusion avec l'Amour universel. La progression de l'être ne s'arrête jamais. Tout est en constant mouvement. L'atteinte d'un objectif n'est qu'une initiation ouvrant la porte sur un autre objectif, encore plus grand.»

Ces propos prononcés avec tant de simplicité et de bonhomie avaient atteint profondément le cœur de Patrice, car l'amour avait pour lui une tout autre connotation pendant son séjour terrestre. Il avait toujours été convaincu que tout acte posé par une personne était forcément intéressé. Et ce foutu ange qui venait de lui prouver le contraire en lui disant tout bonnement qu'il remplissait son rôle dans un seul but d'évolution, pour manifester sa compassion et un amour désintéressé! Patrice se sentit soudain devenir méfiant devant tant de magnanimité. Y avait-il anguille sous roche? Est-ce qu'on lui tendait un piège? Était-il habilement tenté par le «démon», qui essayait ainsi, par un étrange stratagème, de l'entraîner avec lui en enfer?

Comme pour brouiller davantage les cartes, d'autres questions assaillaient sauvagement son esprit: était-il en train de se faire avoir? Éleutra serait-il un imposteur?

Le doute devenait insoutenable. Heureusement, le calme revint et son tumulte intérieur s'apaisa. Patrice releva la tête et ses yeux se posèrent sur celui dont il tentait de percer les véritables desseins. Ce qu'il vit le rassura. Cette lumière et cette sérénité qui émanaient de l'ange ne pouvaient avoir une source autre qu'un véritable amour, un amour authentique et divin. Le Malin, s'il existait, ne pourrait jamais se «déguiser» de façon aussi parfaite, en un personnage aussi merveilleux, de l'intérieur autant que de l'extérieur.

Peu à peu, les soupçons de Patrice s'estompèrent, pour finalement fondre comme glace au soleil. «Non, l'Amour véritable ne peut être feint, dut-il conclure. Un être qui n'en serait pas complètement imprégné se trahirait sans aucun doute par un quelconque détail, par une incongruité impossible à masquer.»

Abandonnant toute résistance, notre voyageur décida alors de vouer désormais une entière confiance à son nouvel ami, lequel, mine de rien, était pleinement conscient des idées qui se bousculaient dans la tête de son protégé.

À l'instant même où il accepta de lâcher prise, Patrice sentit monter en lui une force intense, une flamme céleste qui envahissait de lumière son corps entier. Ce feu divin ne le brûlait pas mais le transportait plutôt vers un état de bien-être indescriptible, lui laissant entrevoir, pendant un très court instant, la sensation que l'on peut ressentir lors de l'Illumination, au moment de la fusion complète avec l'esprit.

Dans quel monde mystérieux avait-il donc mis le pied? Patrice s'aperçut qu'il avait quitté l'enfer terrestre pour pénétrer dans un monde éblouissant, libre de toute frontière, un monde où l'Amour et le désintéressement faisaient foi de tout. «Quel fantastique rêve il était en train de vivre?», se surprit-il à penser.

Comme pour donner un peu plus de valeur à cette découverte magique, Éleutra serra dans ses bras cet enfant nouvellement admis en ce monde de splendeurs. Puis, relâchant quelque peu son étreinte, il demanda à Patrice s'il était maintenant prêt à le suivre vers sa nouvelle demeure.

Avec l'enthousiasme d'un jeunot, Patrice hocha la tête sans aucune hésitation, en signe d'approbation. Un dernier coup d'œil vers les débris encore fumants de sa voiture et vers ce paysage terrestre si familier, à quelques mètres sous lui, et ce fut le véritable signal de départ vers une vie future remplie de mille promesses.

Chapitre 4

LE TUNNEL MAGIQUE

Patrice empoigna fermement la main de son guide et s'abandonna aveuglément à lui. En quelques instants, les deux voyageurs se retrouvèrent au centre d'un interminable tunnel tout noir où ils se fondirent lentement. Très loin, à son extrémité, ils pouvaient apercevoir une toute petite lumière, brillante comme mille soleils et attirante comme un irrésistible aimant. Entraînés malgré eux, ils se laissaient tout simplement aspirer dans ce canal obscur par une force indéfinissable, mais extrêmement puissante. Ils évoluaient dans une obscurité quasi totale, dans un environnement opaque, une atmosphère lourde.

Malgré la noirceur, Patrice arriva à déceler ici et là de multiples embranchements qui prenaient naissance le long des parois et lui rappelaient des relais d'autoroute... Chacune de ces aires était parcourue par des âmes qui allaient et venaient, apparemment sans but précis, un peu comme des vagabonds qui se seraient perdus en terre inconnue. Captant ses interrogations, Éleutra se tourna vers Patrice et lui expliqua que ce n'étaient pas toutes les âmes qui acceptaient aussi facilement et aussi rapidement que lui de quitter leur corps physique et de s'élever au-dessus des basses vibrations terrestres. Pour la plupart des êtres errant à ces niveaux, les choses matérielles avaient eu une telle importance durant leur périple terrestre qu'ils avaient maintenant du mal à quitter ce qu'ils avaient eu tant de peine à acquérir. Certaines autres entités, quant à elles, étaient retenues par les émotions des gens qui les pleuraient encore ou qui s'accrochaient à elles par la pensée.

«Voici une partie de ce que les humains appellent le "bas astral", expliqua l'ange. Les âmes que tu vois dans ces stations ne sont pas prêtes à entreprendre le grand voyage que tu as accepté de faire en ma compagnie. Elles ont donc décidé de demeurer entre les deux mondes pendant un certain temps, errant ici et là avec d'autres âmes, dont les affinités, les croyances et les désirs étaient les mêmes que les leurs. Toutes ces âmes n'arrivent pas à croire, et encore moins à admettre, qu'il puisse exister une autre réalité au-delà de celle dans laquelle elles végètent depuis leur départ de la terre.

»Ces êtres auront d'abord à accepter leur mort terrestre, puis à demander de l'aide, comme tu l'as fait toi-même au moment où tu as cru, durant une fraction de seconde, à l'existence d'un quelconque paradis. Répondant à leur appel, des anges viendront les chercher pour les emmener vers la lumière là-bas.» Éleutra pointa élégamment du doigt le bout du tunnel.

«Si leur esprit n'avait pas été tellement imprégné de toutes ces faussetés que véhiculent souvent les multiples religions en mal de pouvoir sur la terre, beaucoup de ces âmes n'en seraient pas rendues là.

La plupart de celles qui sont à ce niveau ne croient strictement à rien, ou alors elles sont convaincues qu'après la mort, c'est le néant qui les attend. C'est effectivement ce qui se passe pour elles, et souvent, leur cas est, hélas, presque irrécupérable!»

Il y avait une grande tristesse dans la voix d'Éleutra, et Patrice l'avait perçue. C'était la première fois qu'il détectait chez l'être de lumière un sentiment autre que la joie de vivre ou la parfaite sérénité.

«La négation de l'après-vie que ces pauvres âmes ont entretenue tout le long de leur existence prend maintenant forme autour d'eux, poursuivit Éleutra. Maintenant, elles ne voient que le vide, ne perçoivent que la désolation, créant ainsi leur propre néant... Si tu le veux bien, je vais à présent t'emmener dans un autre endroit, dont le niveau de vibrations est le même qu'ici. Viens, suis-moi, tu verras les terribles effets que les croyances associées à certaines religions ont eus sur leurs adeptes.»

Ensemble, Patrice et Éleutra s'engagèrent dans un chemin qui les mena dans une immense salle sombre aux allures particulièrement macabres. Là, des milliers de corps endormis gisaient par terre, cordés les uns près des autres, formant des rangées s'étirant à perte de vue. L'atmosphère y était très lourde, et Patrice ne s'y sentait vraiment pas bien. Pourtant, le calme régnait en ce lieu et tous les êtres allongés sur le sol dénudé semblaient «reposer» en paix, sans que rien ni personne ne puisse les tirer de leur profond sommeil.

Sentant que son copain avait un urgent besoin de comprendre ce qui se passait en ce morbide endroit, Éleutra rompit brusquement le silence:

— Vois-tu, mon cher Patrice, toutes ces âmes attendent béatement la résurrection de leur corps. Certaines d'entre elles sont ici depuis des millions d'années et elles resteront ainsi pour une autre période, peut-être aussi longue. Vois-tu, lors de leur passage sur terre, on leur a profondément inculqué qu'après la mort, elles s'endormiraient tout simplement, et qu'à la fin des temps... pas avant... un ange viendrait les réveiller au son de la trompette. Alors, et seulement alors, ces âmes pourraient réintégrer leur corps de chair et ainsi aller s'asseoir à la droite de Dieu pour l'éternité. Eh bien! ils mettent maintenant en pratique ce qu'ils ont appris, ils dorment dans l'attente de l'ange à la trompette... Tout cela peut te paraître stupide, mais si tu savais combien de gens sont morts en n'ayant que cette unique vision de l'après-vie!

— Mais, s'exclama Patrice, révolté, pourquoi ne vas-tu pas les réveiller toi-même? Avec tout l'amour que tu dégages, tu n'auras aucun problème à les convaincre de te suivre!

Éleutra esquissa un sourire empreint de nostalgie.

— On a également dit à ces gens que durant leur repos éternel, le diable viendrait les tenter en envoyant des messagers pour les convaincre de les suivre. Donc, ils se détourneraient à ma seule vue, croyant avoir affaire à un démon tentateur, et ils se rendormiraient en me maudissant. Cet endroit est l'un des plus désolants qui existent dans tout le plan astral, car la vie y est presque éteinte. Il ne s'y passe plus rien, du moins presque rien. Par contre, aucune des âmes ici présentes n'est perdue. Elles sont seulement retardées dans leur évolution. Un jour, inspirées par la lointaine sagesse de leur esprit, elles comprendront qu'elles se sont fait berner, et alors s'ouvrira dans leur carapace une brèche à travers laquelle toutes les prières et les pensées d'amour qui sont dirigées vers elles par les humains les atteindront, et c'est alors qu'elles se réveilleront. Les souvenirs profondément ancrés provenant des nombreux séjours antérieurs qu'elles ont faits dans les jardins de l'au-delà ressurgiront et, dès qu'elles en émettront le franc désir, un guide les mènera vers la lumière.

»Je suis tellement triste de les voir sommeiller aussi bêtement et passivement alors qu'une existence merveilleuse les attend à quelques pas! Mais il ne faut pas s'en faire outre mesure. Il nous faut accepter également ce genre de situation comme étant une manifestation du Divin. Comme tu vois, il m'en reste encore à apprendre, à moi aussi, murmura Éleutra sur un ton de mélancolie à peine voilée. Mais ne nous attardons plus ici. Laissons les morts avec les morts et continuons plutôt notre route.»

Le spectacle de désolation auquel Patrice venait d'assister dans ce purgatoire quasi éternel se reflétait maintenant jusque dans son aura, dont les teintes étaient brusquement passées du jaune doré à un grisâtre terne. Ce qu'il avait vu et ressenti dans ce lieu d'attente désolant avait fait ressurgir en lui des centaines de souvenirs et de pensées troublantes venus de son enfance. Les émotions qui y étaient associées avaient eu un effet très négatif sur son être.

Voyant la mine déconfite de Patrice, Éleutra lui prit de nouveau la main. À ce contact, Patrice sentit revenir ses énergies, comme si elles avaient eu besoin d'être «rechargées» comme une batterie. Très vite, les deux compères laissèrent derrière eux les «morts endormis», pour se retrouver de nouveau en plein cœur du fameux tunnel de l'espoir, en route vers cet intrigant royaume de la Vie.

Pendant quelques minutes, ils eurent à s'adapter aux nouvelles vibrations, beaucoup plus élevées, dans lesquelles ils se trouvaient maintenant. Ils reprirent ensuite leur route, s'abandonnant à cette force magique qui les avait aspirés jusque-là. Ils durent traverser encore maintes autres sections obscures. Chaque fois, ils percevaient les émanations d'incompréhension, de limitation et d'attente passive qui s'en dégageaient. Patrice et Éleutra ne voulaient pas s'attarder, sachant très bien que ces endroits n'étaient plus leur lot désormais, car ils étaient maintenant animés du désir d'aller plus loin, plus haut, vers un au-delà de grâce et non de repentir. La zone «grise» s'estompa peu à peu, faisant place à un espace de plus en plus léger et agréable à parcourir.

Plus ils avançaient, plus le long tunnel devenait éclairé, de sorte que le voyage se poursuivit de façon beaucoup plus agréable. Les deux voyageurs circulèrent à une vitesse folle pendant une longue période de temps, quoique celui-ci n'existe presque plus à ce niveau de conscience.

Portant son regard loin vers l'avant, Patrice aperçut cet étrange point lumineux qui augmentait en splendeur et en luminosité à chaque mètre parcouru. Les parois du corridor, de noires qu'elles étaient au début, devenaient de plus en plus colorées. Leur surface était maintenant tapissée de millions de petites perles, tout aussi scintillantes les unes que les autres, et dont la multitude de teintes défiait la beauté de l'arc-en-ciel. Brillant de mille feux, cette lumière devenait de plus en plus vive à mesure qu'elle grossissait. Elle semblait ne pas seulement éclairer, mais aussi absorber tous les objets qu'elle illuminait.

De son vivant, Patrice n'avait jamais vu, ni même pu imaginer, ne fût-ce qu'une fraction de seconde, quelque chose d'aussi majestueux. Sa conception de la beauté, alors qu'il était sur la terre, était d'une telle pauvreté en regard de ce qui l'entourait maintenant. L'endroit le plus paradisiaque que son esprit eût alors pu se représenter aurait paru un désert aride et sans attrait à côté de l'environnement fabuleux au cœur duquel il était plongé.

À ce moment précis, un vieux préjugé vint solliciter Patrice: «C'est trop beau pour être vrai!» Sa vie passée avait constamment gravité autour de notions de souffrance. On lui avait longtemps enseigné que la pauvreté et le malheur étaient essentiels à l'évolution de l'homme. Il était donc impensable, dans le milieu où il avait grandi, de vivre dans la beauté et la richesse, tout en aspirant à un bonheur sans cesse grandissant. Le soleil devait obligatoirement être obscurci par un quelconque nuage.

Le doute s'empara de Patrice. Toutes ces splendeurs qui s'offraient à lui ne devaient-elle pas être vues comme un prélude à l'enfer? Était-il vraiment mort ou plutôt en train de devenir complètement fou? Allait-il bientôt se réveiller en sursaut, dans un quelconque hôpital psychiatrique, en pleine crise de délire mystique? Quelle était la part de réalité dans cette aventure à la fois si grandiose et si troublante?

Tout au long de sa vie, Patrice avait nourri le sentiment qu'il se retrouverait sûrement en enfer avec tous les «péchés» qu'il avait commis. Et voilà qu'au contraire, il renaissait dans un lieu où seuls l'Amour et la Beauté n'avaient de véritable signification. Tout ce qu'il était amené à vivre allait à l'encontre de ses vieux principes les plus chers! Il y avait de quoi être troublé.

Se tournant vers Patrice, Éleutra arbora un large et resplendissant sourire, indiquant par là qu'il avait très bien suivi le cheminement de son ami. D'un simple clin d'œil, il chassa les nuages qui s'étaient amoncelés dans le ciel de Patrice. Toute tension se dissipa alors. Encore une fois, et comme il l'avait fait à quelques reprises déjà depuis son arrivée sur ce plan de son existence, Patrice décida de s'abandonner complètement et sans aucune réserve à cet élan divin, ne se préoccupant que d'admirer les beautés qu'il traversait et d'accepter le bonheur qui lui était offert.

À peine eut-il décidé de lâcher prise et de se contenter d'«être» que son corps tout entier se transforma, prenant l'essence même de la lumière qui l'entourait.

Chapitre 5

AU-DELÀ DE L'ARCHE DORÉE

La lueur faiblement perceptible au tout début du voyage était peu à peu devenue un immense soleil qui agissait comme un phare dans le long tunnel menant à l'espoir. Les deux voyageurs s'arrêtèrent un moment, le temps de goûter pleinement l'indescriptible spectacle qu'ils avaient sous les yeux. Ce merveilleux voyage, au cours duquel le bel ange de lumière et de bonté nommé Éleutra avait si amoureusement guidé Patrice, tirait inexorablement à sa fin. Patrice et Éleutra se regardèrent, un sourire nostalgique sur les lèvres, comme deux vieux amis à la veille de se séparer. En face d'eux se dressait cette flamboyante arche dorée qui semblait les inviter.

«Nous voilà arrivés, soupira l'ange devant son protégé. Nous sommes au seuil du "ciel", pour employer vos termes de terrien. Traversons cette porte ensemble, très lentement pour en capter toutes les vibrations et tous les bienfaits. Chaque fois que je passe sous cette arche, je ressens toujours une impression nouvelle et j'en ressors transformé. Je ne me lasserai jamais de cette expérience et je m'y habituerai encore moins. Allez, viens, savourons le précieux cadeau qui nous est offert aujourd'hui.»

Timidement, Patrice et son guide pénétrèrent avec émerveillement dans ce champ d'Amour infini. Plus ils avançaient, plus leurs corps «devenaient» cette lumière, ce soleil vivifiant. Des chants angéliques leur parvenaient de toutes parts, semblant les accueillir comme des princes revenant dans leur royaume. Toute notion de temps, d'espace ou d'*ego* terrestre disparaissait peu à peu. Tout n'était que purification et initiation vers un autre plan, celui d'un au-delà lumineux.

Éleutra ralentit le pas et glissa à l'oreille de son ami:

«Arrêtons-nous un moment pour savourer la Vie.»

Puis il poursuivit:

«Bien des gens qui subissent un arrêt cardiaque ont la possibilité de se rendre jusqu'à cette porte d'or. Mais la plupart d'entre eux sont alors sommés de retourner à leur corps physique pour continuer leur mission qui n'est pas tout à fait terminée dans ces cas. La seule vue de cette lumière, de l'autre côté de l'arche, le seul contact des vibrations qui s'en dégagent donnent à ces personnes des sentiments de plénitude tels qu'elles sont souvent incapables, à leur grand désarroi, de les décrire à leur entourage quand elles reviennent sur le plan terrestre. Après cette expérience, leur vie n'est plus jamais la même. En ayant ainsi effleuré, du bout de leur âme, la plénitude de l'après-vie, elles n'ont plus peur de la mort et apprennent vite à vivre pleinement le moment présent.»

Reprenant leur cheminement, les deux complices traversèrent ensemble la porte d'or, pour pénétrer finalement dans un univers de rêve, celui qui, depuis la nuit des temps, constitue le plus grand mystère de toute l'humanité.

Patrice comprit alors que ce nouveau monde était bel et bien le sien maintenant, que ce n'était pas un rêve, mais une captivante réalité. Retirant doucement sa main de celle de Patrice, Éleutra lui dit:

«Ça valait la peine que tu me suives, n'est-ce pas? Souviens-toi, du plus profond de ton être, de ce prodigieux voyage que l'on a réalisé ensemble, de sorte que, lorsque tu reprendras un nouveau corps de chair, tu saches vraiment que la mort n'est qu'une transition permettant d'aller d'une dimension inférieure à une autre, immensément plus élevée. Les hommes ont tellement besoin de cet espoir de l'après-vie! Un jour, tu leur en feras peut-être partager l'expérience.»

Patrice perçut ces paroles comme une invitation concernant une mission future à accomplir. «Oui, se dit-il, si je retourne un jour sur cette bonne vieille terre, je suis sûr que je me souviendrai... Et quand ces souvenirs referont surface, je promets de les écrire alors au monde entier.»

Cette promesse devait être tenue, bien des années plus tard...

Chapitre 6

L'ACCUEIL DANS L'AU-DELÀ

Éleutra s'était déjà retourné et il s'envolait de nouveau, probablement pour effectuer un autre... sauvetage! «Quel travail merveilleux cela doit être, finalement», songea Patrice, un brin d'émotion accroché au cœur, lequel semblait battre avec encore plus d'intensité qu'avant. L'amour que lui avait prodigué Éleutra, la façon affectueuse qu'il avait eue de le regarder comme un père regarde son enfant, l'incommensurable compassion qu'il avait démontrée devant les pauvres âmes bouleversées de se retrouver soudainement privées de leur corps, dans une tout autre réalité, tout cela donnait à Patrice une sensation fabuleuse de bien-être qu'il n'avait jamais connue auparavant.

Depuis le départ de son guide et ami, les yeux de Patrice étaient restés clos. Lorsqu'il les rouvrit, comme pour laisser pénétrer encore plus profondément les beautés de cet univers, il sentit venir vers lui, semblable à une émanation, une forme qui lui était familière. À chaque pas qu'elle faisait, elle prenait un peu plus l'aspect de la personne que Patrice avait si souvent espéré retrouver un jour. Oui, il s'agissait bien d'Éric, cet homme dont il avait causé la mort, involontairement il est vrai, une dizaine d'années auparavant.

Son meilleur ami n'avait pas changé, mais alors pas du tout. Il portait toujours son éternel jean bleu pâle et sa chemise à carreaux, qui avaient d'ailleurs été un peu sa marque de commerce de son vivant. Tout, dans l'au-delà, ressemblait au monde terrestre, mais en mille fois plus beau. Abasourdi, Patrice attendit que l'illusion se dissipe; mais non, l'ombre s'était bel et bien matérialisée devant lui.

À peine arrivé devant celui qu'il avait longtemps considéré comme son demi-frère, Éric le regarda droit dans les yeux, comme il le faisait jadis, quand il avait quelque chose de vraiment important à déclarer. Pourtant, il dit simplement, de sa voix la plus douce:

«Bienvenue, Patrice! Je ne pensais pas te voir si tôt, du moins pas dans cet état.»

S'esclaffant tous les deux, ils se jetèrent dans les bras l'un de l'autre, renouant le lien d'amitié qui les avait unis de leur vivant.

«Je suis tellement heureux que tu aies accepté aussi rapidement de suivre ce cher Éleutra, poursuivit Éric. Je le connais bien, car c'est ce compagnon-étoile qui m'a conduit moi aussi jusqu'ici, il y a dix ans... J'aurais pourtant parié ma chemise... à carreaux, et tu sais combien j'y tiens, que tes vieux préjugés, conjugués à ton entêtement, auraient eu raison de ses meilleurs arguments, que tu te serais longtemps buté à nier la possibilité d'une vie après la vie, comme tu m'en rebattais tellement les oreilles sur la terre, tu te souviens? "Après la mort, c'est le trou!" C'était tout ce que tu trouvais à dire lorsque j'osais aborder le sujet "tabou" de ton existence.»

Patrice hocha la tête en souriant, reconnaissant parfaitement cette image de lui-même qu'Éric lui présentait, un reflet tout à fait différent de celle qui était devenue la sienne à présent.

«Tu as tellement raison! acquiesça Patrice sur un ton repentant. Depuis le moment où je suis mort, ce sont tes paroles qui me sont revenues à l'esprit, chaque fois que le doute m'assaillait. C'est en grande partie grâce à elles si j'ai finalement ouvert les portes de mon cœur aux beautés qui m'attendaient. Toutes ces allusions que tu me faisais, lors de nos longues conversations sur la terre, et que je rejetais stupidement avec un sourire narquois, me sont revenues une à une. Elles ont pansé les blessures de mon âme résultant de mes incompréhensions; elles m'ont nourri et comblé, alors que mes conceptions étroites et limitées d'antan me laissaient insatisfait et aigri. Je le confesse, j'aurais dû t'écouter au lieu de te traiter de "cinglé"... quoique tu l'étais quand même un peu parfois, avoue-le!»

Les deux amis rirent de bon cœur, tout en continuant à se laisser envahir par leurs souvenirs communs.

«Trêve de plaisanterie, trancha soudain Éric. Suis-moi maintenant, car tu n'es pas au bout de tes surprises!»

Avec l'enthousiasme de jeunes écoliers sortant de leur classe avant d'entreprendre la longue période des vacances estivales, les deux copains prirent d'assaut le petit sentier qui s'était ouvert comme par enchantement devant eux.

Ils gambadèrent côte à côte durant de longues heures sans dire un mot, se contentant d'admirer le paysage féerique qui se «créait» systématiquement sous leurs yeux ébahis à chaque mètre qu'ils parcouraient, comme si tous les éléments prenaient vie à mesure que les secondes s'écoulaient.

Des forêts aux arbres droits et fiers couvraient de leur feuillage toute une végétation composée de verdure, d'arbustes et de fleurs dont la variété des teintes était tout à fait inimaginable. Une volée d'oiseaux, tous plus colorés les uns que les autres, complétaient ce décor paradisiaque, créant un tout agréable et attrayant.

C'était une harmonie pure, le mariage parfait entre les diverses composantes de la nature, la Vie telle que le Divin l'avait sûrement voulue lorsqu'il avait peuplé la terre. Tout ici respirait la perfection, la sérénité, l'Amour à l'état absolu.

Brisant le silence quelque peu oppressant, Patrice hasarda sur un ton taquin:

«Est-ce que c'est ça le paradis que l'on nous promettait à la petite école? Ne devions-nous pas nous retrouver assis à la droite de Dieu pour l'éternité, à l'adorer du matin au soir?»

Le calme du sous-bois fut soudain traversé par un grand éclat de rire. C'était Éric qui réagissait ainsi devant la naïveté de l'enfant qui s'était enfin réveillé chez son meilleur ami. Étant donné l'austérité de l'éducation qu'il avait reçue, Patrice n'avait pas souvent eu l'occasion de blaguer lorsqu'il était sur terre. L'humour n'avait d'ailleurs jamais été son fort... Cette qualité qui caractérise les grands sages de tous les temps, Patrice l'avait perdue aussitôt qu'il avait pris son rôle d'adulte un peu trop au sérieux. Mais ici, c'était différent. Tout était à la fois sérieux et sans importance.

L'interminable sentier déboucha finalement sur une magnifique clairière, décrite par Éric comme étant le «lieu des retrouvailles». Une foule de gens y étaient regroupés. Les yeux écarquillés par la surprise, Patrice reconnut des personnes qu'il avait particulièrement aimées durant son existence. En tête du peloton se trouvait Germaine, son adorable mère, qui était décédée d'un cancer il y a très longtemps. Quand elle aperçut son fils, elle alla à sa rencontre et posa tendrement la tête de celui-ci au creux de son épaule, comme elle le faisait si souvent jadis, quand elle voulait le réconforter. L'émotion était intense, et Patrice sentit une douce chaleur qui montait en lui. Il se surprit même à pleurer à chaudes larmes, mais de joie cette fois.

Reprenant son rôle de mère pour quelques instants, Germaine se mit à chanter cette berceuse magique qui avait le don de faire tomber Patrice chaque soir dans les bras de Morphée, particulièrement lorsque la tempête faisait rage dans la maison. Cet orage intempestif avait un nom, et c'était Albert. Il s'agissait de son père, un ivrogne invétéré qui semblait depuis toujours prendre plaisir à battre sa femme, une personne soumise et sans défense. Le méprisable individu se trouvait encore sur terre à vivre son enfer, impotent et paralysé, incapable de se suffire à lui-même. Patrice avait souvent souhaité sa mort mais, en même temps, il prenait un certain plaisir à voir les souffrances qui l'affligeaient se perpétuer un peu plus longtemps.

Sentant monter en son fils ces énergies négatives, Germaine lui souffla ces simples mots:

«Je lui ai pardonné. Il apprend beaucoup maintenant. Tu verras, tu comprendras dans quelque temps...»

Saisissant plus ou moins le sens de ces paroles, Patrice décida de chasser de son esprit le souvenir de son père. «Qu'il aille au diable, pensa-t-il, je ne lui laisserai pas me gâcher ce si merveilleux moment.»

Germaine et Patrice restèrent ainsi tendrement enlacés durant de longues minutes, sous les yeux attendris d'Éric et de toutes les personnes qui s'étaient réunies pour accueillir le nouveau venu. Parmi elles, se trouvait un vieux couple âgé qui se tenait un peu à l'écart, et dont les mains étaient unies comme chez de jeunes amants. Germaine leur fit signe de s'approcher pour qu'elle puisse les présenter.

«Voici tes grands-parents, annonça-t-elle à Patrice. Tu ne les as pas connus mais ils t'ont pourtant tellement aimé durant leurs dernières années de vie. Ils dépensaient toutes leurs énergies à chérir ce "petit chérubin venu tout droit du ciel", comme ils se plaisaient à te décrire alors.

Après avoir embrassé tendrement leur petit-fils, les deux tourtereaux d'un autre âge s'en retournèrent, dans le sous-bois en soupirant de bonheur.

Vint ensuite le moment de rencontrer une myriade d'oncles, de tantes et d'amis décédés, et même certaines personnalités qu'il avait admirées au cours de ses quarante années de vie terrestre. Chaque accolade, chaque poignée de main renforçaient chez le principal sujet de cette fête grandiose le sentiment de surprise qu'il éprouvait en voyant toutes ces âmes venues spécialement pour l'accueillir, lui, Patrice Beauregard, un ignoble égoïste qui n'avait jamais pensé à autre chose qu'à satisfaire sa petite personne sans s'occuper des autres et faisant peu de cas de tout ce qui se passait autour de lui. «Mais quel idiot ai-je été?» se surprit-il à penser, rongé par le remords.

Voyant ces pensées négatives qui s'entremêlaient chez son ami, Éric crut bon d'intervenir. Il entraîna l'invité d'honneur ainsi que tous les participants vers une immense table garnie de mets dont Patrice avait toujours raffolé durant son existence terrestre. Malgré ses déboires, Patrice n'avait jamais cessé d'être un fin gourmet. Cet amour de la bonne chère était son meilleur exutoire. À maintes occasions, il s'était laissé emporter pour une heure ou deux vers cet univers où il savait pouvoir retrouver véritablement la joie et, par conséquent, le contact intime avec lui-même. Bien manger était le plus grand plaisir qu'il pouvait s'offrir. Combien de fois s'était-il retrouvé dans un restaurant, seul avec lui-même, passant d'inoubliables moments à savourer la vie à travers chaque morceau de nourriture qu'il avalait, chaque gorgée de vin qu'il buvait!

Et voilà qu'on lui offrait un festin, comme pour lui indiquer qu'on ne l'avait jamais oublié et qu'on se rappelait toujours son heureux... vice! Tout y était: plats raffinés, corbeilles débordantes de fruits frais de toute variété, desserts exubérants, boissons exotiques (oui, même au ciel...)! Curieusement, tous les invités mangeaient très lentement, comme savait si bien le faire Patrice lors de ses banquets solitaires, quand il prenait tant de plaisir à savourer pleinement chaque bouchée. On aurait dit que les convives avaient la sagesse de laisser pénétrer en eux l'Être suprême à travers chaque parcelle de nourriture. Le moindre geste qui était posé dans ce nouveau monde semblait s'imprégner de cette essence divine et harmonieuse, créant une ambiance digne des plus beaux contes de fées.

Plusieurs heures s'écoulèrent ainsi, dans la douce folie des retrouvailles. Quand la fête fut terminée, chaque invité prit soin d'embrasser Patrice en lui souhaitant de trouver, le plus rapidement possible, la paix intérieure qui lui était nécessaire pour pouvoir continuer son cheminement. Éric fut le dernier à se présenter. Prenant la main de Patrice, il le regarda droit dans les yeux, l'air solennel. Un peu décontenancé, Patrice conclut que son ami avait sûrement quelque chose de très important à lui dire.

«Si nous t'avons réservé cet accueil, commença-t-il, c'est parce que nous t'aimons bien et que nous souhaitons que tu t'adaptes le plus rapidement possible à ton nouvel environnement. Maintenant, tu dois passer à travers une période cruciale de ton séjour ici, celle dite du pardon.»

Le ton employé par Éric éveilla un certain sentiment de crainte chez Patrice. Éric le sentit et il esquissa un sourire pour tenter de réconforter son copain.

«Chaque âme, après son départ de la terre, poursuivit-il, doit passer par cet endroit que l'on nomme la "chambre du pardon"; elle doit y faire le point sur sa vie. On appelait cela le "jugement dernier" dans le petit catéchisme, tu dois sûrement t'en souvenir. On disait que c'était Dieu, par l'entremise de saint Pierre, qui officiait en tant que juge, à la suite de quoi il décidait si l'âme méritait le ciel ou l'enfer.»

Patrice fronça les sourcils. «Non, n'aie pas peur, le rassura Éric, l'enfer, tu l'as bel et bien vécu sur la terre. Le seul juge que tu auras à partir de maintenant, c'est toi.»

Les dernières paroles d'Éric laissèrent Patrice perplexe. Ses convictions, aussi minces eussent-elles été, lui avaient toujours dicté que Dieu seul pouvait juger de la réussite ou de l'échec d'une vie. «Enfin, se dit-il, je vais bien voir...» Ce qui n'était pas peu dire!

Chapitre 7

LA CHAMBRE DU PARDON

Les deux vieux amis marchèrent au milieu du même décor féerique qu'ils avaient précédemment arpenté ensemble, jusqu'à une petite maison sans fenêtre, à l'apparence toute simple. Avant d'y entrer, Éric avertit son copain:

— À cet endroit, tu verras se dérouler devant tes yeux toute ta vie passée, dans les moindres détails. Je t'ai déjà parlé des annales akashiques? Sûrement, mais... tu as dû m'envoyer paître comme chaque fois que je t'entretenais de ce genre de choses! Ils rirent tous les deux en évoquant ce souvenir. Il s'agit donc d'une gigantesque mémoire universelle, une base de données, si tu préfères. Tout ce qui se passe dans l'univers entier est scrupuleusement enregistré dans cette mémoire. Toutes les pensées, toutes les actions, bonnes ou mauvaises, y sont minutieusement inscrites, avec tous les effets positifs et négatifs qu'elles ont entraînés sur l'entourage. L'histoire de tout ce qui vit ou a vécu dans l'univers, de la simple feuille d'arbre jusqu'au plus grand des rois, y est gravée à jamais.

»Durant ce visionnement, tu pourras t'attarder à ta guise sur les moments les plus intenses de ta vie. Tu seras instruit des répercussions que toutes les paroles blessantes que tu as prononcées ont produites sur chaque personne concernée. Tu verras également le bien que tu as fait aux gens par tes gestes compatissants et le bonheur qu'ils en ont retiré. Le grand jeu de la vie te sera dévoilé et tu devras apprendre à tout dédramatiser.»

Mal à l'aise, Patrice interrompit son ami d'un ton sec et affolé, car mille et une interrogations surgissaient soudainement à son esprit:

— Mais à quoi ça rime, tout ça? Tout d'abord, on m'accueille comme un enfant prodigue puis, sans crier gare, on tente de me précipiter dans la fosse aux lions en me jetant en pleine figure les multiples échecs qui ont jalonné mon passage sur terre! Tu parles d'un royaume de paix et d'amour! Je me doutais bien qu'il y avait anguille sous roche.

Patrice continua ainsi à gronder pendant quelques instants, marmonnant des paroles inintelligibles. En voyant la mine déconfite de son ami, Éric sourit tendrement.

— Non, Patrice, personne ne veut te reprocher quoi que ce soit, encore moins t'accuser. Enlève-toi cela de la tête dès maintenant. Tu dois simplement apprendre à pardonner, aux autres comme à toi-même. Mais cela ne peut se faire si on ne te donne pas la chance de saisir le sens profond du jeu subtil que la vie a imaginé pour toi durant toutes ces années où tu as évolué sur le plan terrestre. Dès que tu seras à l'intérieur des murs de cette maison, tu commenceras à comprendre la raison d'être de cette grandiose pièce de théâtre que chacun doit jouer durant sa vie... Allez, va... et à bientôt. Je t'attends à la sortie.

— Mais... quand pourrai-je...?

Patrice n'eut pas le temps de terminer sa phrase que déjà, Éric avait disparu, laissant son compagnon seul avec lui-même, complètement atterré. Cette fois, il ne pouvait échapper à son destin et il le sentait bien. Ici, impossible de reculer.

Prenant son courage à deux mains, Patrice gravit lentement les marches de l'escalier extérieur, comme un condamné à mort qui se dirige vers la potence. Il n'avait que très vaguement saisi ce qu'il était censé faire dans cette mystérieuse «chambre du pardon». Mais une chose était sûre, c'est qu'il ne pouvait s'y dérober.

Un peu à contrecœur, il posa sa main sur le loquet de la porte. Il l'ouvrit discrètement, en retenant presque son souffle, et il pénétra enfin dans l'endroit le plus étrange qu'il lui ait jamais été donné de visiter.

Dès qu'il eût franchi le seuil, tout un univers prit forme devant lui. Les murs qu'il avait vus quelques minutes plus tôt avaient disparu. Le plafond s'était métamorphosé en un ciel scintillant de millions de minuscules points lumineux, un peu à l'image d'une voûte céleste. Il avait été propulsé dans un univers où toute notion d'espace et de temps avait complètement disparu. Étrangement, et à son grand étonnement, il se sentait de plus en plus à l'aise dans ce lieu. Ce n'était pourtant pas le genre d'endroit auquel l'on se serait attendu pour subir le jugement dernier!

Aussitôt que Patrice se fut passablement adapté à ce nouvel environnement, un phénomène des plus bizarres se produisit. Des formes commençaient à prendre vie sous ses yeux émerveillés et stupéfaits à la fois. Venant de nulle part, elles se façonnaient magiquement en trois dimensions. Ces formes représentaient tantôt un visage, tantôt un paysage ou un objet familier. Elles s'estompèrent ensuite pour faire place à une route sinueuse et mal éclairée. Au loin, deux phares perçaient le brouillard et se rapprochaient de plus en plus rapidement. Lorsqu'il put distinguer le contour du véhicule qui arrivait, Patrice eut un haut-le-cœur en reconnaissant sa vieille automobile, celle-là même avec laquelle il avait eu ce terrible accident qui avait coûté la vie à Éric.

Oui, c'était bien cela. Les images se précisaient. C'était bien cette route meurtrière sur laquelle s'était produite la catastrophe, dix ans plus tôt. Le bolide lui apparut soudain en gros plan, et Patrice se vit à l'intérieur du véhicule, chantant à tue-tête, une canette de bière dans une main et le volant dans l'autre, un spectacle écœurant dont il aurait pu se passer...

Quel terrible choc c'était de se revoir ainsi, comme au cinéma! Pourquoi en était-il arrivé à cette décadence? Il aurait voulu voir quelqu'un d'autre, mais c'était lui, l'acteur... et aussi le spectateur. En désespoir de cause, Patrice ferma les yeux pour échapper à cette vision horrible. Mais rien ne pouvait désormais l'empêcher de voir la réalité, car les images qu'il percevait ne passaient plus par ses yeux, mais par le centre de son cœur, l'expression de ses émotions.

Profitant d'un instant de répit, il respira un bon coup, le temps de se détendre un peu, puis la vision reprit, infernale. Il avait maintenant une étrange sensation. Il percevait que tout n'était pas aussi dramatique qu'il l'avait pensé après tout, et que s'il le voulait vraiment, il pouvait assister à ces pénibles scènes en tant que simple témoin, d'une façon neutre et sans porter de jugement. Une douce brise lui souffla à l'oreille que si tout était harmonie et sérénité dans cet étrange pays où il avait abouti, il n'y avait pas lieu de se juger ni de subir le sort réservé aux autres. Il était seul, après tout!

Cette réflexion le rassurant quelque peu, Patrice redevint très calme, prêt à tout voir et à tout comprendre, pour le bien de son âme. Le film reprit de plus belle. Habité par un stoïcisme qui le surprit lui-même, il assista sans broncher à sa course folle sur cette route sinueuse et pratiquement déserte. Au loin, il aperçut un autre véhicule qui venait en sens inverse et il reconnut le conducteur, Éric. Avec ses yeux encore pleins de sommeil, celui-ci tentait tant bien que mal de percer le brouillard qui n'en finissait pas d'épaissir. Puis, ce fut l'impact fatal et le néant...

L'attention de Patrice se fixa d'abord sur l'âme de son ami qui, en une fraction de seconde, fut projetée hors de son corps physique dans l'espace. Patrice était décontenancé de voir le flegmatisme désarmant d'Éric, qui examinait tout bonnement la scène, à quelques mètres au-dessus de son corps ensanglanté. C'était comme si tout avait été «arrangé» d'avance et qu'il s'agissait d'un simple événement de routine.

Éric avait fait un tour rapide de la voiture de Patrice, puis, constatant que son copain vivait toujours, il avait poussé un soupir de soulagement et s'était éloigné en souriant.

Dès qu'on porta secours à son ami, Éric tourna la tête vers les étoiles et prononça quelques mots à peine audibles. Une lueur descendit de la voûte céleste et Patrice reconnut, à sa grande surprise, ce cher Éleutra qui venait à la rencontre d'Éric. Après une brève discussion, les deux êtres disparurent ensemble dans l'espace infini, sans un seul regard en arrière.

Une coupure se fit alors dans le film, comme si on voulait ainsi signifier à Patrice qu'il devait porter attention à autre chose. C'est alors que se matérialisèrent devant ses yeux toutes les conséquences que son acte meurtrier avait entraînées chez les personnes concernées. La première image à se présenter à lui fut celle de l'épouse d'Éric qui venait d'apprendre la tragique nouvelle de la mort de son mari. Il la vit fondre en larmes dans les bras du jeune agent de police maladroit et dépassé par les événements qui s'étaient produits. Comme si cette image n'était pas suffisante, il entendit le rapport détaillé que ce dernier fit des circonstances de l'accident.

Lorsqu'elle apprit que c'était ce salaud de Patrice qui avait tué l'amour de sa vie, la jeune femme se laissa aller à une crise de folie, maudissant avec rage cet homme que, depuis belle lurette, elle aurait voulu voir disparaître de sa vie. Les yeux et le cœur noyés de chagrin, elle exprima violemment son désir de voir mourir cet homme ignoble, puis elle s'évanouit dans les bras du policier, complètement désarmé par ce drame.

Patrice n'avait jamais pensé qu'il eût pu être la cause d'une aussi grande détresse. Bien sûr, il avait passé des années à déplorer ce qui était arrivé, mais il n'avait jamais osé faire face au fait que cette femme le haïssait tant.

«Mais, quel idiot j'ai été!» criait-il à se pourfendre l'âme.

Le film reprit son cours après s'être interrompu quelques instants pour laisser au principal intéressé le temps de se remettre de ses émotions. Ce qui était bizarre dans ces visionnements, c'est que le spectateur pouvait connaître le fond de la pensée de chacune des personnes concernées. Quand le film reprit, Patrice revit la scène au cours de laquelle les membres de la famille d'Éric réunis autour de sa dépouille mortelle décidaient, d'un commun accord, de faire parvenir une couronne mortuaire à Patrice, le seul survivant de la collision, qui était encore cloué sur son lit d'hôpital. Ils voulaient ainsi lui faire prendre conscience de tout le mal qu'il avait fait. La haine qui se lisait dans leurs yeux était telle, que Patrice comprit pourquoi ils avaient eu recours à cet ultime moyen de vengeance. Ce geste avait permis à plusieurs d'entre eux de se libérer d'un lourd fardeau et de pouvoir enfin regarder vers l'avant. Cette fameuse couronne avait contribué à apaiser les torrents de colère qui sapaient leur énergie.

Quand Patrice eut parfaitement compris toutes les conséquences de l'accident dont il avait été en quelque sorte l'instigateur, il se produisit un saut de quelques mois dans le film de sa vie. Un point ressortait alors clairement. Chaque fois, en effet, qu'une personne exprimait, d'une manière ou d'une autre, de la haine envers lui, Patrice pouvait voir monter, du fond de cette personne, une grande énergie libératrice. Peu de temps après, la vie reprenait son cours normal, mais avec beaucoup plus de fluidité. La rancœur s'estompait lentement, jusqu'à s'évanouir complètement.

Il y eut un autre bond dans le temps. Après de longs mois passés à l'hôpital, abandonné de tous et condamné à repasser inlassablement dans sa tête les circonstances du drame, Patrice revint à la maison. Les remords le grugeaient avec véhémence par en dedans. Les semaines et les mois qui suivirent se transformèrent en un véritable cauchemar. Chaque fois qu'il sentait l'énergie de la Vie tenter de se tailler une brèche à travers sa carapace de culpabilité, Patrice voyait apparaître devant lui le visage de son vieux copain, *mort à cause de lui*. Et cela, il ne pouvait le supporter. Ses épaules étaient trop frêles pour soutenir une telle charge. Son cœur était trop brisé pour que l'amour libérateur puisse s'installer chez lui.

Les images du film montraient maintenant Patrice sombrant dans une profonde dépression et dans les paradis artificiels pour tenter d'oublier le terrible événement. Mais ces échappatoires eurent plutôt l'effet de faire remonter à la surface, en les amplifiant, les souvenirs qui étaient à l'origine de *sa* déchéance.

À mesure que le visionnement se poursuivait, l'attitude de Patrice revêtait une neutralité de plus en plus grande. Depuis son entrée dans la chambre du pardon, il avait, sans s'en rendre compte, permis à une énorme quantité d'émotions refoulées depuis l'accident de se dénouer. Il pouvait maintenant regarder se dérouler les événements de sa vie avec beaucoup plus de sérénité et de discernement. Au fond de son cœur, il vit qu'il avait quelque chose de très profond et de très concret à comprendre, à partir de ce qui lui était présenté en ce lieu.

Les images du film se remirent à défiler devant Patrice. Certaines mettaient en évidence le fait qu'il prenait un malin plaisir, frisant souvent la complaisance, à se culpabiliser de *sa* faute, comme il le disait si bien. C'est alors qu'un déclic se produisit dans sa tête. Avec le recul qu'il avait désormais pris,

Patrice découvrit qu'il était animé d'un étrange désir, qu'il n'aurait jamais pu détecter autrement qu'en revoyant les scènes et les liens qui les unissaient entre elles. Il venait de comprendre. Ce désir inavoué qui l'habitait était celui d'autopunition! Tout était si clair maintenant!

Étant donné qu'il se sentait responsable du malheur de toutes les personnes concernées par l'accident, Patrice ressentait un irrésistible besoin de payer, de se libérer de sa dette. À mesure que ce sentiment dont il n'était pas conscient prenait subtilement de l'ampleur dans sa vie, les événements qui venaient corroborer les désirs de vengeance qu'il entretenait envers lui-même se multipliaient. Que d'incidents, parfois anodins, parfois dramatiques, étaient survenus durant ces longues années de malheur et qui pouvaient être expliqués par ce pacte d'autodestruction!

Pendant qu'il s'ouvrait à cette nouvelle dimension de la pensée et qu'il reconstituait, morceau par morceau, le puzzle de sa vie, Patrice revit mille et un incidents associés à ce désir d'autopunition. Tout y était passé, de la coupure au doigt jusqu'à cette stupide chute en ski, alors qu'il était presque immobilisé au bas de la pente, incident qui l'avait d'ailleurs obligé à se déplacer sur des béquilles durant d'interminables semaines. Tout devenait si clair dans son cœur, car c'est par ce centre qu'il comprenait maintenant.

Il prenait également conscience que c'était parce qu'il sentait en lui ce besoin de se faire souffrir que des gens l'accusaient de tous les maux de la terre, prenant plaisir à lui faire sentir qu'il était réellement un être ignoble et qu'il avait bel et bien raison de se haïr.

Tout prenait un autre sens selon cette nouvelle vision. Le seul fait de se complaire dans la culpabilité et de vouloir à tout prix payer pour ses fautes était suffisant pour attirer vers Patrice les gens et les événements qui justifiaient sa façon de penser.

À cette étape de ses réflexions, le film s'arrêta de lui-même, comme pour permettre à son unique spectateur de bien mettre en place les éléments nécessaires à la compréhension de la problématique et à en tirer les conclusions qui s'imposaient. Incapable de franchir complètement la porte qui lui était ouverte, Patrice restait là, sans réaction, à l'affût de cette lumière dont il était impossible d'absorber tous les rayons. Mais il manquait encore un petit quelque chose pour que la boucle soit définitivement fermée.

À ce moment précis, Patrice sentit une présence chaleureuse qui s'approchait de lui, et de laquelle émanaient des vibrations qu'il reconnût aussitôt: Éric! Il se retourna et il le vit. Faisant un bond presque acrobatique, il se jeta à ses pieds.

— Me pardonneras-tu jamais de t'avoir obligé à mettre si rapidement un terme à cette merveilleuse vie terrestre que tu menais jadis? balbutia-t-il.

— Eh là! ne va pas si vite, s'exclama le nouvel arrivant. Je crois qu'on a des choses à mettre au clair. Je vais simplement te poser une question: as-tu vraiment voulu me tuer ce soir-là?

— Bien sûr que non! Quelle idée! rétorqua Patrice l'air quelque peu froissé. Tu sais quelle amitié j'avais pour toi...

Exaspéré, Éric lui coupa la parole:

— Alors, pourquoi te sentir coupable d'un geste que tu n'as jamais voulu poser contre moi?

Comprendras-tu un jour que tu n'es pas coupable, mais seulement responsable, c'est tout? La responsabilité est un engagement de l'homme face à la vie, qui peut lui permettre de grandir énormément s'il sait la gérer. Par contre, la culpabilité est, de loin, le pire ennemi qu'il puisse avoir. Souvent, les semences de culpabilité germent chez l'enfant dès son tout jeune âge. Ne leur enseigne-t-on pas qu'ils ne sont que de pauvres pécheurs et que les mauvaises actions qu'ils auront accomplies, ils devront les payer pendant le reste de leur vie et, si ce n'est pas assez, en enfer? Ce qu'on oublie de leur expliquer, à mon avis, c'est que de chacune des expériences vécues, bonne ou mauvaise, il est possible de tirer une leçon. Dès que les gens auront compris le message d'amour et de compréhension qui se cache derrière chaque épreuve, ils n'auront plus à en subir les conséquences.

»Est-ce que tu as bien saisi ce que j'essaie de t'expliquer? Être responsable de ses actions ne consiste pas à en porter bêtement le poids durant toute sa vie! C'est d'abord en accepter les conséquences, puis en extirper les fabuleux trésors qu'elles recèlent et en tirer les leçons qui s'imposent. Je ne t'en ai jamais voulu d'avoir causé ma mort, car j'ai toujours eu la ferme conviction que la vie ne laissait rien au hasard et que ces accidents allaient nous rapporter des dividendes à tous les deux, et peut-être même à des milliers d'autres personnes...

— Veux-tu dire que pendant tout ce temps où je me morfondais en pensant au mal que je t'avais fait, toutes ces années où je me complaisais dans ma petite culpabilité, tu m'avais... pardonné depuis longtemps?

— Qu'est-ce que tu crois, idiot, répliqua Éric, en accrochant un air coquin à son visage. Comment aurais-je pu te pardonner si je ne t'en ai jamais voulu? Bien plus, le seul fait de t'appesantir constamment sur ta faute n'a eu pour effet que de t'attirer l'antipathie de toute ma famille. C'est toi qui as amplifié les retombées négatives de l'accident sur ta vie. Quelques années après la tragédie, ma famille t'avait presque complètement oublié, tandis que toi, tu cherchais encore à te punir, jusqu'à causer ce stupide accident qui t'a propulsé jusqu'ici. Brillant, n'est-ce pas?

Patrice n'en croyait tout simplement pas ses oreilles. Ce que venait de lui dire son ami l'avait éclairé à tel point qu'il comprenait maintenant parfaitement tous les événements qui avaient précédé et suivi cet accident. Il avait désormais la ferme conviction qu'il avait attiré sur lui cette catastrophe uniquement pour payer la dette qu'il avait contractée envers lui-même, pour se libérer du poids qu'il s'était mis sur les épaules. Non, mais vraiment, c'était trop bête... mais tellement explicable!

Les larmes aux yeux, Patrice accueillit cette intense paix intérieure qui accompagne toujours les grandes prises de conscience. Reprenant ses esprits, il revint à la charge.

— Mais toi, Éric, tu ne peux nier le fait que ta vie a été écourtée à cause de moi. N'en ressens-tu pas un peu de dépit, de regret? Il serait bien légitime que tu m'en veuilles, ne serait-ce qu'un petit peu..., n'est-ce pas?

— Cher Pat! Combien de fois ai-je tenté de t'expliquer que le hasard n'a pas sa raison d'être dans cet univers où tout est centré sur l'évolution de chacune de ses composantes! Tu m'obliges donc à te dévoiler maintenant un très grand secret... qui te fera sûrement froncer les sourcils! Bien avant notre naissance, nos deux âmes avaient conclu un pacte de fidélité et d'entraide. Pour ma part, j'avais *accepté* de te soutenir, de t'assister tout au long de cette vie que tu entreprenais et qui ne devait d'ailleurs pas être de tout repos. Quant à toi, tu t'étais fixé comme objectif primordial d'expérimenter le rejet et la culpabilité qui devaient normalement découler du type de rapports que nous devions entretenir, pour ensuite t'en libérer complètement, comme tu es en train de le faire en ce moment.

» Nous avions également convenu que si tu ne semblais pas y parvenir par toi-même, je devais t'aider coûte que coûte... et quel qu'en fût le moyen. Celui-ci était plutôt draconien, j'en conviens, mais les choses étant ce qu'elles sont, tu ne me laissas guère le choix. Nous n'avons fait que suivre la roue de la vie, c'est tout.

— Tu veux dire que cet accident était... écrit dans le ciel... et ce, bien avant notre naissance? reprit Patrice, l'air interrogateur, mais demeurant quand même ouvert à l'hypothèse qui lui était présentée.

— Non, pas tout à fait. Si tu avais appris de tes expériences au lieu de t'en charger inutilement les épaules, si tu avais pris conscience du sens réel et profond de ta responsabilité dans la réalisation de ton destin, si les messages qui t'étaient lancés avaient vraiment atteint la cible de ton être intérieur, tout aurait pu se passer différemment.

Décontenancé, Patrice se rendait compte qu'après tout, il était le seul et unique responsable de ses malheurs. Percevant le triste état d'âme de son copain, Éric poursuivit:

— Encore une fois, Patrice, comprends-moi bien. Tu n'as pas à te sentir fautif là-dedans, tu as agi au meilleur de ta connaissance. Quant à moi, j'ai également beaucoup évolué à travers ces événements. Cette mission que j'ai acceptée m'a fourni une occasion exceptionnelle de me dépasser et de grandir de façon incroyable dans l'espace d'une seule et courte vie, car mon âme a fait un bond de géant dans son évolution. Rien n'est jamais perdu. Chaque sacrifice, chaque souffrance, chaque don de soi a des répercussions formidables sur le développement spirituel de notre être. Ce que tu m'as permis de vivre m'a propulsé à une vitesse vertigineuse dans les sphères de la compréhension divine. J'ai expérimenté le sacrifice suprême: mourir pour un ami. Un grand maître a d'ailleurs parcouru la même route il y a bien longtemps; son nom est Jésus. Mais dans son cas, il a cheminé tout à fait consciemment. Moi, je n'avais pas son courage, ni sa sagesse.

»Tu vois tout ce que ta supposée "déchéance" m'a apporté? Quand deux personnes vivent une expérience commune, bonne ou mauvaise, chacune en retire inévitablement des bénéfices, même si ce n'est pas évident sur le coup. Les âmes n'ont pas de temps à perdre, ni pendant leur incarnation sur la terre, ni sur d'autres plans. Elles ont toutes un chemin à parcourir, et rien ni personne ne peut les arrêter.

»Certains êtres exceptionnels, illuminés et réalisés, échappent à cette règle de l'évolution. Ils s'incarnent par pure compassion pour l'humanité, dans le but de transmettre leur lumière et leur richesse intérieure aux êtres qui se trouvent sur leur chemin et qui acceptent de leur ouvrir leur cœur. Ces entités d'une grande élévation intérieure acceptent de faire un énorme sacrifice, celui de revêtir pour quelque temps un habit de chair qui les emprisonne dans les limitations de l'être humain. Comme tu peux le constater, les hommes ont encore beaucoup à apprendre.»

Baissant les yeux, Éric conclut, avec un léger tremblement dans la voix:

— Il est maintenant temps que je te quitte, vieux frère. Je pourrais te parler pendant des heures et des heures mais je crois sincèrement que tu as compris ce que je voulais t'expliquer. J'espère seulement que tu réussiras à mettre bientôt en pratique ce que je viens de t'enseigner. Il faut à présent passer des paroles aux actes. C'est d'ailleurs le point faible de la majorité des chercheurs de vérité. Ils étudient livre après livre, reçoivent enseignement après enseignement, mais ils ne trouvent jamais le temps de mettre en pratique les notions qu'ils ont apprises.

S'approchant de son grand ami, Éric l'entoura de ses bras dans un geste empreint de dignité, pour indiquer qu'il le soutenait dans sa démarche. Puis, relâchant son étreinte, il plongea ses yeux perçants jusqu'au plus profond de l'âme de Patrice et il laissa tomber de ses lèvres ces quelques paroles de velours:

— Patrice, je n'ai en réalité rien à te pardonner. Mais si cela est absolument nécessaire pour te donner bonne conscience, sache que je te pardonne complètement, et de toute mon âme. Tout est désormais pur et limpide entre nous. Je te remets maintenant la responsabilité de ton bonheur. Il ne te reste plus qu'à te pardonner à toi-même!

Aussitôt après avoir prononcé ces paroles, l'être de lumière qui avait pour nom Éric se retourna et disparut, ne laissant derrière lui qu'une nuée d'étincelles scintillantes.

La pièce redevint calme; elle baignait dans un silence profond, qui ne faisait que renforcer ce que venait de dire Éric. Quelle sagesse se cachait derrière cette âme! Patrice se sentait si petit à côté de lui! Pourtant, le sens des dernières paroles qu'il avait prononcées lui échappait, l'intriguait même. Se pardonner... serait-ce donc là le secret de la sérénité? Chacun des mots d'Éric lui revenait à la mémoire, lui faisant l'effet de chauds rayons de soleil perçant la grisaille. Ce grand ami lui avait consacré sa vie, jusqu'à la perdre lui-même, et ce, dans le seul but de permettre à son vieux copain ivrogne de progresser davantage sur la voie de la compréhension divine... «C'est vraiment trop pour un seul cœur», se dit Patrice.

Et cet enfant nouvellement né dans le monde étrange de l'après-vie laissa couler de ses yeux mi-clos quelques larmes chargées de tendresse et de gratitude. Elles semblaient entraîner avec elles les ultimes traces de culpabilité qui était imprégnée jusqu'au fin fond de ses cellules. Un miracle en entraînant un autre, il se produisit alors une ouverture immédiate et complète de tous les centres d'énergie de Patrice, ce qui lui procura une vision nette, claire et sans préjugés de l'événement.

En une fraction de seconde, Patrice eut la conviction que les deux accidents, celui où il avait involontairement provoquer la mort d'Éric et l'autre où lui-même avait perdu la vie, étaient étroitement liés. Si, à la suite du premier, il ne s'était pas laissé entraîner à vive allure dans ce torrent de culpabilité qu'il s'était complu à entretenir par ignorance du sens réel de la responsabilité, s'il avait eu la sagesse de reconnaître qu'il n'avait jamais eu l'intention de tuer Éric, s'il avait su accepter simplement les faits, tels qu'ils s'étaient malheu-reusement produits sans créer d'inutiles tensions, et en tirer les leçons qu'il fallait, peut-être serait-il encore en vie, en pleine possession de ses moyens, heureux de continuer sa route dans son véhicule de chair.

Il aurait suffi de très peu pour que le reste de son existence prenne une tout autre dimension positive et salvatrice. S'il avait manifesté plus de compassion pour la peine qui avait accablé l'entourage d'Éric, s'il avait compris la haine qui habitait ces gens, sans en porter constamment le poids sur ses frêles épaules, son cheminement aurait été différent. La haine, quand elle n'est pas nourrie, s'estompe peu à peu.

Mais Patrice avait pris la direction contraire, en ramant à contre-courant au lieu de suivre la vague et de laisser la vie diriger sa barque. Il s'était replié sur lui-même et avait inconsciemment laissé croître en lui un immense et persistant sentiment de culpabilité, qui l'avait amené, petit à petit, à s'autopunir, pour finalement en arriver à l'autodestruction.

Ces troublantes réflexions se bousculaient dans la tête de Patrice depuis l'ouverture de ses chakras quand soudain, un grand silence l'envahit, en même temps qu'une paix enveloppante investissait de lumière chacune de ses cellules. Les paroles d'Éric l'enjoignant de se pardonner résonnaient encore en lui, tel un interminable carillon. Dans un élan du cœur sincère et sans équivoque, il lança, aussi puissamment qu'il le put, ces paroles de délivrance:

«Oui, je me pardonne!»

Tout son être s'illumina alors de mille feux. Le ciel s'ouvrit, déversant sur lui et sur toutes les personnes concernées, d'inestimables flots de grâce.

Comme pour faire comprendre à Patrice toute l'importance de son geste, le film reprit dans la chambre du pardon.

Mais cette fois, les images projetées ne provenaient plus du passé plus plutôt du présent. La scène se déroulait sur cette terre qu'il connaissait si bien et qu'il regardait encore avec une certaine nostalgie. Une vieille dame dont les rides profondes avaient sûrement été creusées par des années de pleurs et de souffrances se tenait devant la photo de son fils décédé plusieurs années auparavant, dans un terrible accident d'automobile. D'un geste lent, quoique déterminé, elle prit dans ses mains la photo jaunie de son Éric adoré et le regarda droit dans les yeux, comme si elle en sentait vraiment la présence à ses côtés. Puis, elle se mit à lui parler:

«Tu sais, Éric, j'ai bien réfléchi la nuit dernière et j'ai décidé de ne plus traîner inutilement toute cette haine dans mes bagages quand je serai prête à aller te rejoindre. Aussi j'aimerais que tu me rendes un grand service. Si tu vois Patrice, tu as d'ailleurs sûrement dû le croiser là-haut, fais-lui donc un message de ma part. Dis-lui que je me sens honteuse d'avoir été si méchante à son égard. Je préfère que tu le lui dises toi-même, car j'ai peur qu'il ne veuille pas m'écouter après tout ce que je lui ai fait subir ici-bas. J'arrive mal à comprendre exactement ce qui s'est passé en moi au cours de ces dernières heures, mais j'ai l'impression d'avoir nettement compris que la vie était tout simplement comme un grand jeu et que le hasard n'existait pas.

»Dis donc à Patrice que je ne lui en veux plus et que je considère qu'il a déjà assez payé pour ce stupide accident qui t'a donné l'occasion, bien malgré toi, de nous quitter. Je ne veux pas continuer à vivre avec cette inutile rancœur. Elle m'a trop longtemps pris mes énergies. Fais comprendre à Patrice que s'il veut bien l'accepter, il a mon total pardon.»

Puis, tentant d'afficher un sourire sur ce visage qui avait été si longtemps affligé par la douleur, elle ajouta: «Je me charge de faire comprendre cela à ton père afin qu'il puisse également se libérer de ce joug avant de s'en aller.»

La vieille dame posa tendrement ses lèvres sur la photo et la remit en place au milieu des autres petits objets qui avaient jadis appartenu à son fils et auxquels elle tenait, puis elle se rendit dans la cuisine.

Le film s'arrêta, laissant Patrice éberlué par la dernière scène. Il n'y avait plus aucun doute maintenant. Le fait qu'il se soit pardonné avait eu pour effet, en plus de lui enlever un poids énorme sur les épaules, de permettre à la mère d'Éric de se libérer à son tour. Simplicité déroutante, magie sublime. Patrice avait enfin la preuve irréfutable que le comportement qui avait été le sien sur la terre après l'accident lui avait attiré cette agressivité qui l'avait rongé toutes ces années durant. S'il s'était pardonné de son vivant, aurait-il subi le même sort? Serait-il mort quand même? Était-ce là son irrémédiable destin que de mourir dans un accident sans pouvoir intervenir d'aucune façon?

La réponse à ces questions lui apparaissait claire et nette dans son esprit, comme un éclair qui zèbre un ciel sans lune: les pensées d'une personne tissent la trame de son futur ainsi que celle de l'univers entier, car tout ce qui existe est en évolution constante. Le destin est un mythe cher à celui qui obéit à la loi du moindre effort. Rien n'est gravé dans le ciel et toute décision peut renverser ce prétendu destin, quel qu'il soit. Chaque instant de la vie prend donc toute son importance, car selon la façon et l'intensité dont il est vécu, il en dessine le schéma au fur et à mesure.

Un peu las, Patrice prit quelques instants de repos et il en profita pour remercier le ciel de lui avoir permis de s'ouvrir à cette grande vérité.

Chapitre 8

LA COMPLICITÉ
AU-DELÀ DES APPARENCES

Patrice se sentait si bien maintenant, libre comme un animal auquel on vient de retirer la charge qu'il avait dû traîner durant un interminable voyage. Quelques minutes de répit suffirent pour qu'il goûte pleinement le bonheur de percevoir la Vie sous son vrai jour.

Cet homme nouveau qui était assis au centre de la pièce pouvait maintenant saisir la pertinence de l'«épreuve» qu'il venait de traverser. Il comprenait de plus en plus la nécessité pour chaque être de passer par cette étape du pardon afin de pouvoir profiter d'une période de repos bien mérité avant de poursuivre sa route. Son seul regret, c'était de n'avoir pu amorcer ce processus de son vivant, et il se jurait bien de s'en souvenir lors de son prochain passage ici-bas!

La pause fut de courte durée et l'action reprit de plus belle sur l'écran. Un visage de femme s'y dessina, empruntant graduellement des traits qui lui étaient familiers. Il la reconnut sans peine: c'était Marie, cette épouse qu'il avait tant aimée mais qu'il n'avait, hélas, pas su garder auprès de lui. Il s'agissait d'ailleurs là de l'une des plus grandes déceptions de sa vie passée. Patrice avait pourtant la certitude d'avoir tout fait pour elle. Il ne se doutait pas alors qu'il n'avait jamais vraiment aimé cette femme! En vérité, ce qu'il appréciait surtout, c'était la présence à ses côtés d'une compagne douce et soumise, avec tout le bonheur et toute la sécurité que cela lui procurait. Sans s'en rendre compte, Patrice reproduisait fidèlement le comportement adopté avant lui par son père.

Une église remplie à craquer, une cérémonie de mariage, son propre mariage. Le nouveau marié qui s'avance fièrement au bras de *sa* fiancée, heureux d'exhiber devant l'assistance muette et admirative *sa* nouvelle «acquisition».

Pendant qu'il observait ce couple qui marchait dans l'allée centrale de l'église, Patrice ressentit exactement tous les sentiments et revit défiler toutes les pensées qui l'occupaient alors. Il se vit lancer autour de lui de vagues regards hautains qui auraient pu se traduire ainsi:

«Regardez! C'est elle, Marie, *ma* femme, celle qui prendra désormais soin de moi. À partir d'aujourd'hui, je possède un bien de plus, une femme merveilleuse. Et gare à qui essaiera de l'écarter de moi!»

La sagesse qu'il avait récemment acquise permit à Patrice de se voir maintenant sous son vrai jour. Il reconnut bien là son attitude méprisante d'antan vis-à-vis la gent féminine. Il avait toujours souscrit au mythe de la femme soumise, de la femme au service des autres et même une esclave de l'homme et de ses enfants. D'ailleurs, c'était le modèle qu'avait incarné sa tendre mère, modèle qu'il avait eu sous les yeux durant toute son enfance et qu'il avait traîné avec lui jusqu'à sa mort.

«C'est étrange que l'on ait parfois tant de peine à transcender l'idéal proposé par ses parents», pensa-t-il. Un sentiment aussi bien ancré de possessivité se transforme tôt ou tard en une jalousie maladive, qui est la source d'un malaise permanent.

Marie devait constamment rendre compte à Patrice de toutes ses sorties, elle devait le mettre au courant de la moindre de ses relations. Cette domination se poursuivit durant trois longues années au cours desquelles deux enfants vinrent embellir... puis compliquer les rapports entre eux, car ce pouvoir exercé sur son épouse s'étendit graduel-lement à toute sa famille, qu'il essayait aussi de diriger. C'est lui qui tenait le rôle du père, le chef autour duquel tout devait graviter.

Diverses scènes défilaient à une vitesse folle devant les yeux d'un Patrice attristé de se voir ainsi. Il ressentait clairement l'effet avilissant que pro-voquaient chez Marie ses crises de possessivité et de jalousie. En faisant siennes les pensées secrètes de son épouse, il était à même de constater que chaque élan d'amour qu'il lui prodiguait, chaque «je t'aime» qu'il lui disait était perçu par Marie comme un barreau supplémentaire à sa prison dorée. Les images qui passaient faisaient vivre à Patrice les profondes sensations d'étouffement et de désespoir qu'éprouvait cette femme qu'il croyait chérir par-dessus tout.

Mais la réalité était tout autre. Il n'aimait pas cette femme, il ne faisait qu'«apprécier» le bonheur qu'elle lui apportait. C'était son amour-propre qu'il cultivait à travers cette relation sans vraiment s'en rendre compte.

Un jour, Marie en avait eu assez de ce joug oppressant et elle avait décidé de prendre la place qui lui revenait. Et le seul moyen à sa disposition pour y arriver était de se défaire des tentacules qui l'enserraient, l'étouffant irrémédiablement. Tel un oiseau qui hésite à quitter le nid pour faire sa vie, elle eut du mal à prendre cette décision déchirante. Mais son instinct fut le plus fort et elle prit son envol. C'est ce qui lui permit de découvrir l'amour véritable, dans les bras d'un homme qui avait su lui offrir ce à quoi elle aspirait et n'avait jamais goûté avec son mari: la liberté et la dignité.

Atterré, Patrice assistait à ces événements sans pouvoir intervenir. Là où il se trouvait, il n'avait de pouvoir sur rien. Les scènes dont il était témoin éveillaient tant de souvenirs en lui et faisaient surgir des émotions si lointaines qu'il croyait pourtant enfouies pour toujours dans le tréfonds de sa mémoire. Malheureusement, constata-t-il avec amertume mais lucidité, rien ne s'était réglé avec le temps, car les années qui avaient suivi avaient été marquées par le refoulement et l'égoïsme. C'était un constat d'échec.

Le projecteur continua à déverser son flot interminable de souvenirs déchirants. Même à la lumière des prises de conscience qu'il avait faites, Patrice n'arrivait toujours pas à pardonner à cette femme. Seules retentissaient en lui les éternelles complaintes qu'il avait nourries toutes ces années durant: «Moi qui t'aimais tant, Marie, pourquoi m'as-tu fait cet affront? Je n'avais que toi, tu le sais! Pourquoi m'avoir laissé seul? Ne pouvais-tu pas sentir mon besoin d'avoir une femme qui m'attende le soir à la maison? Je vais mourir si tu ne me reviens pas!» Inlassablement, ces récriminations venaient le hanter, sans qu'il puisse en arrêter le cours. Mais Marie ne s'était pas laissé influencer par ce chantage affectif et elle avait demandé le divorce.

Tout au long de la période de désarroi qui avait suivi la séparation, pas une fois l'homme «rejeté» ne s'était demandé ce qu'il avait fait pour aboutir à cette fin tragique. Jamais il ne s'était questionné sur son degré de responsabilité dans cette affaire. Rejetant tout le blâme sur son ex-épouse, Patrice s'était mis à la haïr férocement presque autant qu'il l'avait jadis adorée. À partir de ce moment, il avait consacré toutes ses énergies à tenter de la détruire, essayant de montrer à la terre entière quel monstre ignoble était en réalité cette sombre créature. Chacune des secondes de ses journées était occupée à inventer des stratagèmes tout aussi maléfiques les uns que les autres pour anéantir celle qui l'avait humilié.

Il n'arrivait plus à rester maître de ses pensées et s'enlisait peu à peu dans un immonde bourbier. Parce qu'il était foncièrement convaincu qu'il était la grande victime d'une horrible machination, il se devait de faire en sorte que les circonstances lui prouvent qu'il avait bel et bien raison de se sentir rejeté et abandonné de tous.

À partir du principe qui veut que l'on attire ce qui correspond à ce que l'on dégage, Patrice eut tôt fait de s'entourer de gens dont le schème de pensée correspondait au sien, ce qui eut pour effet de renforcer encore sa position de victime et d'entretenir sa haine.

Scènes de jalousie, accusations non fondées, pensées et actions agressives, mensonges à peine voilés, tout cela défilait maintenant devant les yeux abattus de Patrice. Puis, les images se figèrent, pour permettre un temps de recueillement. Patrice eut alors une grande, mais pourtant simple révélation: le mal qu'il croyait faire à son ex-épouse, c'était à lui-même qu'il se l'était réellement infligé. Tout au long de cet interminable visionnement, il avait constaté que les flèches empoisonnées qu'il lançait en direction de Marie semblaient rebondir sur le bouclier constitué par les vibrations d'Amour qui se dégageaient d'elle et que ces flèches se retournaient aussitôt contre lui pour le transpercer à son insu. Enfin, il commençait à comprendre. Une autre étape était presque franchie.

Puis il vit Marie après sa séparation. Il la sentait tellement heureuse et dégagée auprès de celui qui avait su l'aimer pour elle-même et non pour ce qu'elle pouvait lui apporter! Il comprit alors que toute la hargne qu'il avait entretenue à son égard pendant toutes ces années n'avait servi à rien. Il fut également étonné de constater la solidité de la bulle de protection qu'un grand amour pouvait ériger autour des gens qui s'aiment vraiment. *S'il avait su que la seule personne qu'il faisait alors souffrir, c'était lui!* Son perpétuel désir de vengeance alimentait ce nuage de plus en plus dense qui l'enveloppait et imprégnait toutes ses cellules, un peu plus à chaque attaque.

Il avait suffi de peu de temps à Patrice pour faire fuir ses derniers amis. Il n'avait gardé auprès de lui que des êtres à son image: négatifs et possessifs. Seul devant le néant, tremblant de tout son être, Patrice prenait conscience des conséquences de ses actes. Quel homme égoïste il avait été! Ce Patrice qui se croyait si fort et si intelligent! Mais il n'était en réalité qu'un ignoble narcissique.

En voyant sa vie matrimoniale lamentablement ratée, Patrice sentait le volcan se rallumer en lui, tirant de ses entrailles des flots de vengeance et de haine. Mais au moment où il se voyait sur le point de faire éruption, il perçut le bonheur sans cesse grandissant de *sa* Marie. Cette paix qu'il avait ressentie lorsqu'il avait accepté de se pardonner la mort d'Éric s'était évanouie, à mesure que se déroulaient les scènes accablantes que lui renvoyait implacablement cet écran de malheur! Le reflet du miroir était bien trop ressemblant pour qu'il refuse de s'y reconnaître.

Une autre pause. Une autre occasion de faire le point. Dans le silence lourd et oppressant, Patrice se retrouvait encore une fois seul, face à lui-même. Le cul-de-sac dans lequel il s'était engagé se terminait sur le mur noir et infranchissable de ses émotions. C'en était trop pour lui, il ne voyait aucune issue, aucune porte de secours. Des sanglots lui montaient à la gorge et des larmes de désespoir lui coulaient sur les joues, sans qu'il songea à les retenir. «Aidez-moi, mon Dieu», supplia-t-il, en désespoir de cause.

Les secours ne se fire point attendre. Éleutra entra dans la pièce et son sourire réconfortant le remplit d'amour et de bienveillance.

— Puis-je t'aider? demanda-t-il. Je passais par là et... j'ai entendu crier à l'aide, ajouta-t-il sur un ton amusé et suave détendant instantanément l'atmosphère oppressante.

Malgré la confusion qui régnait dans son esprit, Patrice reconnut vite son divin visiteur et leva vers lui des yeux inondés de larmes. La présence de ce guide si fidèle ramena peu à peu en lui le calme. Il avait à peine la force de parler mais il exprima quand même sa reconnaissance en prononçant quelques paroles étouffées:

— Merci d'être là. Je suis encore tout près de la... dépression... je crois! murmura Patrice, un brin ironique mais rassuré.

— Ici, il n'y a jamais de dépression, comme tu dis, répliqua Éleutra, et encore moins de situations impossibles à démêler. Tu ne dois pas t'en faire outre mesure, car ce que tu as vécu avec Marie est le lot de beaucoup de personnes en ces temps difficiles que traverse l'humanité. Tu sais, les pires guerres sont souvent le prélude à de grandes paix, et vice versa. C'est le cycle de la vie. L'amour et la haine ne sont souvent séparés que par une cloison très mince. Il y a tellement de gens qui se déchirent uniquement parce qu'ils n'ont aucune idée du processus d'évolution qui est propre à chacun. Tu me suis?

— Non, pas du tout, rétorqua Patrice, l'air interrogateur, mais avec une attitude réceptive concernant toute explication qu'il jugerait plausible.

— Je peux t'aider à retrouver cette sérénité que tu as ressentie un peu plus tôt, quand tu as pardonné à la famille d'Éric et à toi-même, le rassura Éleutra. Mais tu dois t'efforcer au préalable de comprendre que Marie et toi aviez chacun un rôle précis à jouer afin d'apprendre l'un de l'autre, dans l'amour sinon dans le déchirement, selon votre degré de compréhension.

Adoptant un air de sceptique offusqué, Patrice reprit allègrement:

— Tu ne viendras pas me dire que j'ai choisi de vivre cet enfer, tout de même? Cela aurait été pure folie de ma part, du masochisme délirant!

— Tu brûles, tu brûles, lança Éleutra avec son humour habituel, sachant que c'était là la seule façon de faire passer ses messages les plus importants aux personnes qui se prenaient un peu trop au sérieux, comme c'était le cas pour Patrice en ce moment. En analysant bien la situation, es-tu sûr que cet enfer dont tu n'arrêtes pas de parler ne t'a pas plutôt permis de faire un pas de géant sur le chemin de la perfection que tu tiens tellement à atteindre? Tu sais, quand, en bas, tu te débattais dans le sale pétrin dans lequel tu t'étais mis, tu ne pouvais voir à quel point tu aidais ton âme à grandir. Avant une incarnation, on se choisit un corps physique dans lequel on devra évoluer pendant parfois près d'un siècle. Tout est alors minutieusement calculé afin que ce véhicule de chair nous permette de vivre le plus d'expériences possibles, dans toutes les situations inimaginables, et que nous puissions acquérir cette précieuse connaissance, de la vie qui nous est nécessaire. Le hasard n'existe pas, poursuivit Éleutra, comme pour faire réagir son interlocuteur.

Comme prévu, Patrice sursauta:

— Tu ne vas pas encore me rebattre les oreilles avec cette théorie voulant que tout événement ait sa raison d'être, et ce jusque dans les plus infimes détails?

— C'est toi qui l'as dit, je te fais remarquer! Sans t'en rendre compte, tu as fait de fameux progrès au cours de ta dernière vie, crois-moi. Les expériences que tu as vécues, en particulier celles qui ont entouré ton divorce, t'ont acculé au pied du mur, ne te laissant d'autre choix que de te surpasser et de t'interroger sur le véritable sens de la vie. Le seul problème, lorsque tu vivais tes désordres matrimoniaux, c'est que tu ne t'es jamais posé la véritable question, à savoir si toi, le maître et seigneur de ton couple, tu n'étais pas, au moins en partie, responsable de ce qui t'arrivait. Au lieu de cela, tu t'évertuais à chercher des moyens de vengeance, toujours plus nouveaux et subtils.

»Mon cher Patrice, continua l'être de lumière en prenant un ton paternel, si tu veux un jour sortir de cette chambre et profiter pleinement du paradis merveilleux qui t'attend, tu dois d'abord pardonner à Marie, complètement et sans équivoque. Tant que tu ne l'auras pas fait, tant que tu ne lui auras pas souhaité, du plus profond de ton cœur, une vie de plus en plus heureuse avec son nouvel amoureux, tu resteras confiné entre ces quatre murs. C'est aussi simple que cela.»

Et il ajouta à mi-voix:

— D'ailleurs, si tu avais entamé ce processus sur la terre, ce serait beaucoup plus facile pour toi maintenant.

— Pas question de pardonner! répondit froidement Patrice, qui s'était redressé devant un Éleutra impassible. Je préfère rester ici éternellement plutôt que de m'abaisser à absoudre cette... Tu sembles oublier ce qu'elle a fait de moi: un cocu!

Patrice avait eu du mal à prononcer le dernier mot, tant celui-ci transportait d'amertume.

— Psitt! Psitt! ne va pas trop loin, le mit en garde Éleutra. Tu as ramené beaucoup d'émotions de ta vie passée, et tant que tu n'auras pas réussi à les transcender, tu demeureras comme éclopé.

Comprenant l'importance des paroles qu'il venait d'entendre, Patrice se calma, puis, avec toute la bonne volonté qu'il pouvait démontrer, il demanda à son maître:

— Qu'est-ce que tu entends exactement par «transcender»?

— Cela signifie tout simplement aller au-delà de ce que notre intellect, ou notre pensée rationnelle si tu aimes mieux, nous dicte. Dans ton cas précis, la transcendance consiste à te servir de tes émotions pour découvrir les messages qui se cachent dans leurs replis et qui ne demandent qu'à être transmis.

»Prenons un exemple, si tu le veux bien. Lorsque tu ressens de la colère, cela indique que ce sentiment a une résonance quelque part à l'intérieur de toi, sinon, tu ne réagirais pas. Si tu ne peux supporter un défaut quelconque chez une personne, c'est bien souvent parce que tu en es toi-même affligé, sans peut-être le savoir. Il en est de même lorsque tu admires quelqu'un, ce que tu aimes dans cette personne se retrouve déjà chez toi, ou alors tu es en train de l'acquérir.

»Sachant cela, il te sera plus facile de te connaître. Il s'agit donc pour toi de développer cette qualité que tu as remarquée, au lieu de l'envier.

»Pour en revenir à cette émotion de haine que tu as manifestée tout à l'heure, le moyen de la transcender serait de découvrir pourquoi tu as réagi de la sorte, puis d'admettre qu'il y a cette faille en toi, de l'accepter sans te culpabiliser, de la dépasser, de la... transcender!»

Après avoir réfléchi quelques instants, Patrice hocha la tête en signe d'approbation.

Reconnaissant, il s'exclama avec conviction, en s'adressant à Éleutra:

— Merci de m'avoir éclairé! J'en avais bien besoin, tu sais. Ses yeux étincelaient d'une volonté intense de comprendre, de sortir de ce bourbier dans lequel il s'était si profondément enlisé et qui lui avait d'ailleurs suffisamment causé de mal jusque-là.

Percevant l'ouverture chez son protégé, Éleutra reprit sur un ton solennel:

— Aimais-tu Marie? Réponds-moi sincèrement.

— Si je l'aimais...? Bien sûr que oui. J'aurais tout fait pour que notre amour dure. Et je l'aime encore...

Ces mots étaient sortis tout seuls, à la grande surprise de Patrice, d'ailleurs, comme s'ils avaient été l'expression d'une volonté cachée dont il n'était pas le maître. Prenant note de la confession obtenue, Éleutra reprit son raisonnement:

— Donc, si tu l'aimais d'un amour véritable et désintéressé, tu aurais dû désirer qu'elle soit la plus heureuse possible, n'est-ce pas, et ce, quelle que fût la situation?

— Oui... mais à quoi veux-tu en venir? s'impatienta Patrice, soupçonnant qu'il y avait anguille sous roche.

— À une chose très simple. Si tu l'avais vraiment aimée pour elle-même, tu aurais accepté, même si cela t'était difficile, qu'elle aille dans les bras de quelqu'un d'autre, d'un homme qui aurait su lui procurer un bonheur supérieur à celui que tu pouvais lui offrir.

Éleutra laissa à Patrice le temps d'encaisser le coup, puis il termina son exposé:

— Tu ne l'aimais pas pour ce qu'elle était, mais pour ce qu'elle t'apportait. Voilà où est toute la différence, et voilà aussi la clef qui t'ouvrira la porte du pardon.

Voyant qu'il avait presque atteint le but, Éleutra s'approcha de Patrice pour lui faire une confidence. Il n'avait jamais parlé de lui-même auparavant, mais il croyait que l'instant était propice.

— Lors de ma dernière incarnation sur terre, il y a de cela des milliers d'années, commença-t-il, j'ai connu le grand amour. J'ai eu en effet l'immense privilège de cheminer durant toute une vie dans le parfait bonheur avec mon âme sœur. Il y avait une telle complicité entre nous, un amour si intense que nous nous étions accordé une totale liberté d'action. Je peux affirmer en toute sincérité que j'aurais volontiers permis à cette femme d'aller vers un autre homme si j'avais été persuadé que celui-ci aurait su la rendre plus heureuse. Ce sentiment était vrai, conscient et réciproque.

Éleutra fit une pause pour pouvoir prendre plus facilement ses distances en regard de ce bonheur lointain, mais encore si présent dans son cœur. Puis il poursuivit:

— C'est cela, le véritable amour, celui que tu devais cultiver dans ta relation avec Marie. Tu as bifurqué en cours de route, mais sois certain que tout est enregistré jusque dans la moindre de tes cellules. Et lors de ta prochaine incarnation, tu pourras reprendre le travail là où tu l'as laissé, en étant plus conscient de la vraie signification de l'Amour avec un grand A.

»Les guerres qui déchirent tant de couples actuellement sont le signe d'une grande immaturité, mais elles ne sont pas vaines pour autant. Les dommages qu'elles causent aux belligérants laissent en eux des marques profondes qui ressurgiront dans leur prochaine incarnation. C'est là qu'elles porteront leurs fruits.

»Un couple dont les deux partenaires jouissent d'une grande maturité ne laisseront jamais les différends les éloigner l'un de l'autre. Au contraire, le fait de les régler dans l'harmonie contribuera à les

91

unir davantage. Dans bien des cas, hélas, l'*ego* humain ne permet pas ce rapprochement. Le *moi* accepte si difficilement d'avoir tort.»

Cette dernière remarque fit sourire Patrice, car il s'y reconnaissait parfaitement, lui qui n'avait jamais admis une quelconque responsabilité dans ce qui lui arrivait; c'était toujours de la faute des autres, jamais de la sienne. Il était maintenant si clair dans son cœur que pour se fondre ensemble, chacun des deux conjoints devait accepter l'essence de l'autre, sinon la fusion ne pouvait s'opérer. Dans sa relation avec Marie, cette fusion des âmes ne s'était jamais réalisée, les *égos* étant trop à l'opposé l'un de l'autre.

Après ce nouveau constat d'échec, Patrice se retira encore une fois dans le petit nuage gris qui était constitué de son apitoiement sur lui-même, et il s'y complut quelques instants. Mais il se reprit rapidement, en se disant qu'il était trop facile de jeter ainsi l'éponge. D'un air mi-sérieux mi-amusé, il s'enquit auprès de son Maître:

— Est-ce que ça existe vraiment, ce genre d'amour sur la terre, ou est-ce seulement à toi et à quelques autres illuminés de ton... genre qu'il est donné de penser ainsi?

Éleutra se mit à rire, comprenant parfaitement le scepticisme de son camarade. Une telle conception du couple ne peut être acceptée par celui qui ne l'a pas vécue. En guise d'encouragement, il répondit:

— J'ai bon espoir que tu accèdes très bientôt à ce niveau supérieur, possiblement au cours de ton prochain séjour sur la terre. Car tout ce que tu as expérimenté au cours de tes existences s'accumule, te menant irrémédiablement vers le genre d'amour recherché, non seulement envers les humains, mais envers l'univers entier. Au cours de ta relation avec

Marie, tu avais tout simplement confondu amour et possession. En fait, pour être franc, je ne crois pas que tu aies jamais atteint la vraie dimension de l'amour, tu l'as seulement effleurée.

Patrice ne fut nullement surpris d'entendre cette remarque et il ne s'est pas non plus écroulé, comme le craignait son guide et ami. Au contraire, il demeura calme, essayant d'établir des liens entre les divers éléments qui lui étaient révélés sur lui-même. C'est alors qu'un événement absolument imprévisible se produisit dans la chambre où il se trouvait. Une forme lui apparut, tout d'abord éthérique, puis prenant peu à peu une apparence humaine. Marie...! Était-ce possible?

— Éleutra, cria-t-il, est-ce que je rêve? Est-ce bien toi, Marie?

Le merveilleux corps était drapé d'un voile aux milliers de perles étincelantes et une voix aussi douce que les vibrations qui s'en dégageaient emplit la pièce d'une indicible harmonie:

— Non, je ne suis pas Marie, considère-moi plutôt comme son âme sœur. Nous dégageons les mêmes vibrations et c'est pourquoi tu crois la reconnaître. Notre esprit est le même mais nos âmes sont différentes. Actuellement, j'attends un autre corps, pour pouvoir aller parfaire mon évolution sur la terre. Durant cette période d'attente, je sers en quelque sorte de guide à Marie pendant son existence actuelle. Mon rôle consiste à l'aider à tirer le maximum de chacune de ses expériences terrestres. Je le fais dans son intérêt, mais également dans le mien, car, étant étroitement liée à elle, son degré d'évolution influence automatiquement le mien, et vice versa. Plus elle sera heureuse sur son plan, plus je le serai sur le mien.

»Comme je te l'ai dit tout à l'heure, nos deux âmes sont issues d'un seul et même esprit, cette partie divine qui est présente en chacun de nous. Il est fort probable que l'âme de Marie m'aidera moi aussi à cheminer sur la terre lorsque sera venu pour elle le temps de vivre ici. Un jour, lorsque nous aurons atteint toutes deux la maturité nécessaire, l'équilibre souhaité ou, si tu aimes mieux, la perfection, nous nous rencontrerons et nous nous fusionnerons. Nous deviendrons alors cet esprit parfait dont nous sommes originaires, mais cette fois, nous aurons l'entière conscience de notre divinité.

»Notre esprit continuera ensuite son cheminement, en aidant les autres âmes à compléter leur évolution, un peu comme Éleutra le fait actuellement avec toi.

»Mais je m'égare de ma visite et je crois m'être déjà rendue beaucoup trop loin, n'est-ce pas? Mon intervention a simplement pour but d'éclaircir la situation entre Marie et moi. Es-tu prêt à entendre ce que j'ai à te dire?»

Patrice parut surpris de la question. Bien sûr qu'il était prêt à recevoir toute aide susceptible de le faire sortir du cul-de-sac où il se trouvait. Et d'autant plus si cette assistance venait directement de l'âme sœur de son ex-compagne.

L'âme sœur! C'était le comble. Comment était-ce possible? Patrice était complètement subjugué. Cette théorie concernant l'existence d'une âme jumelle n'avait toujours été pour lui que pure fabulation ou histoire... de bonne femme. Mais pouvait-il nier ce fait en ce moment? Après tout, un être étincelant de pureté se tenait bel et bien là, devant lui, et les vibrations qui s'en dégageaient s'apparentaient tellement à celles de sa Marie! Sa façon de se tenir, de parler, de sourire, tout concordait parfaitement. À un certain moment, il crut même en respirer le délicat parfum.

Un coup d'œil vers Éleutra suffit à le convaincre de l'authenticité du phénomène. Se laissant désormais guider par ce désir de découvrir la vérité, il fit de la tête un signe affirmatif à l'intention de cette gerbe de lumière qui avait investi la chambre quelques instants auparavant pour lui offrir son aide. Décelant l'ouverture nécessaire chez Patrice, l'âme sœur s'approcha de lui et déposa délicatement sa main sur son épaule, de façon à établir un contact plus étroit avec son âme. Puis, avec un étincelant sourire, elle dit:

— J'ai assisté aux préparatifs de la dernière incarnation de Marie. Tu étais là également, après avoir passé un très long moment ici même, sur ce plan. Tu t'y trouvais tellement bien que les seigneurs du karma ont dû insister fortement pour que tu retournes au travail sur la terre... à ton grand désappointement d'ailleurs.

Éleutra ne put s'empêcher de rire en entendant cette singulière narration. Se tournant vers son acolyte, il lui glissa à l'oreille: «Tu as toujours eu un faible pour les longues vacances, n'est-ce pas?» «Décidément, songea Patrice, ils ont tous le sens de l'humour ici. Moi qui ai toujours pensé que l'au-delà, c'était mortellement sérieux...»

Dans une atmosphère maintenant plus détendue, l'âme sœur poursuivit son récit:

— Toi et celle qui allait devenir ta femme avez conclu une entente. Pour Marie, il lui fallait expérimenter l'affirmation de soi et le raffermissement de la confiance en ses capacités. L'amour véritable, elle le connaissait, pour l'avoir déjà vécu auparavant.

Elle en était donc imprégnée jusqu'au plus profond de ses cellules et devenait ainsi parfaitement apte à te l'enseigner; c'était là sa mission. Quant à toi, c'est justement l'apprentissage de l'amour véritable qui devait constituer ton *motus vivendi* durant ta prochaine incarnation.

»Ayant rapporté de tes existences antérieures les habitudes d'un être foncièrement égoïste et imbu de toi-même, tu avais décidé de tout mettre en œuvre pour atteindre l'étape suivante, celle où tu apprendrais à t'oublier un peu et à dépasser ton amour-propre pour permettre aux gens de ton entourage de vivre plus librement et, par conséquent, de façon plus heureuse. Pour réaliser cet objectif, il devenait essentiel que tu naisses dans une famille marquée par l'égoïsme du père et la soumission de la mère. Tu devais y grandir en ayant sous les yeux le modèle proposé par ton père et ensuite t'élever suffisamment pour tirer parti de cette expérience, au profit de ta vie de couple. Tout un programme, n'est-ce pas?

»C'était un beau défi à relever, j'en conviens. Il te fallait prendre conscience que l'on ne peut atteindre de hauts sommets en n'escaladant que de petites collines. Le risque de t'égarer en chemin était énorme, mais tu as accepté de t'engager avec courage, et même audace.

»Marie et toi, vous vous êtes retrouvés quelque vingt-trois années plus tard, pour fonder un foyer et vous entraider dans vos démarches respectives. Ton rôle consistait à permettre à Marie de devenir une personne aussi "importante" que toi, un être humain à part entière, libre et responsable de sa destinée. Son rôle à elle était d'affirmer son authenticité, de gérer sa propre vie et de retrouver son autonomie à travers une vie de couple.

»Ce plan de vie ne constituait pas une mince tâche, mais cela, vous le saviez. C'est pourquoi vous aviez pris toutes les précautions au départ. Avec l'aide des êtres de lumière qui se chargent des modalités de l'incarnation sur d'autres plans, vous avez minutieusement tracé votre itinéraire, c'est-à-dire les grandes étapes de votre voyage terrestre, en entrevoyant toutes les possibilités qui se présenteraient à vous.

»Vous ne pouviez évidemment pas connaître les résultats finaux de vos expériences humaines, car ceux-ci ne dépendaient que de vos décisions et de vos façons de réagir aux différents courants de la vie. Le libre choix, voilà le plus gros, mais aussi le plus dangereux cadeau qui ait jamais été donné à l'être humain.

»Votre mandat consistait donc à vous supporter mutuellement, et du mieux que vous le pouviez, avec la plus parfaite estime l'un pour l'autre. Si tout allait bien, l'équilibre ainsi obtenu aurait donné naissance à un amour infini, à un respect mutuel inébranlable. Un couple aussi libre et inséparable aurait traversé le temps avec, en lui, la connaissance ultime de l'amour véritable. Hélas! tout ne s'est pas déroulé exactement comme prévu!

»Tu avais hérité de ton père cet égocentrisme dominateur qui a laissé des marques en toi. De plus, à cause de l'épaisseur de la carapace dont tu t'étais recouvert pour te protéger pendant ton enfance, les fils subtils de l'amour que tentait de tisser pour toi la femme dont tu avais malheureusement décidé de "prendre possession" n'ont pas pu t'atteindre. Durant les années où vous avez cheminé ensemble, Marie n'a pas non plus su tirer exactement les bonnes ficelles pour te faire comprendre son impératif besoin de liberté. Le contact magique ne s'est malheureusement pas établi à temps. Une des bornes de la pile était mal branchée et le courant avait de plus en plus de difficulté à passer à mesure que la vie continuait, ce qui a conduit à cette déplorable rupture.»

L'âme sœur se tut, laissant le silence poursuivre son œuvre. Patrice ne tarda pas à réagir.

— J'ai donc échoué? balbutia-t-il avec une pointe de déception.

La réponse ne se fit pas attendre:

— Absolument pas! Je me doutais bien que tu l'interprétrais ainsi, car ton attitude défaitiste prend souvent le dessus. Tu sais, Patrice, au bout de la route, il n'y a jamais de gagnant ni de perdant. Même si tout n'a pas tourné comme prévu entre vous deux durant votre dernière vie, la maturité acquise se transformera en outil supplémentaire pour le futur, car il est indispensable qu'un jour ou l'autre, tout se règle et s'harmonise, dans une incarnation ou dans une autre. C'est la loi universelle qui le veut ainsi.

»Marie a quand même retiré d'énormes bénéfices de votre vie commune, et son âme, si elle était présente, t'en remercierait profondément. Et je profite de l'occasion pour te rendre hommage à ce sujet.

»Je crois que tu en sais suffisamment maintenant pour faire un bilan final et positif de ta relation avec Marie. J'espère, du moins, que mon humble intervention aura servi à mettre un peu d'ordre dans tes idées. Sur ce, je te quitte en toute confiance. Je t'aime...»

Sur ces mots qui éveillèrent en Patrice une lueur d'espoir, en même temps qu'ils lui rappelaient son amour perdu, l'âme sœur disparaissait lentement, comme elle était arrivée. L'émanation scintillante de son corps de lumière devint de plus en plus floue, puis elle se fondit dans l'atmosphère environnante. Le silence envahissait toute la pièce, et Patrice goûta pleinement ce calme, qui n'était empreint d'aucune lourdeur. Tout lui semblait maintenant paisible, comme la surface miroitante d'un lac au coucher du soleil.

D'un pas feutré, Éleutra s'approcha de son compagnon. Il lui effleura l'épaule de sa main compatissante tout en admirant la formidable transformation qui s'était effectuée dans cet être, maintenant qu'il était en contact plus étroit avec sa divinité intérieure. Pénétrant du regard l'âme de celui qu'il considérait un peu comme son fils, l'ange lui dit:

— Tu vois, ce grand drame de ta vie a pris l'envergure que tu as bien voulu lui donner. Ce n'était en réalité qu'un jeu. La terre doit être considérée comme une immense scène où chacun essaie de jouer son rôle du mieux qu'il peut. Hélas! quand on est directement plongé dans le feu de l'action, on se laisse parfois prendre et il arrive que certains se brûlent. Même si le théâtre de ta vie n'a pas présenté exactement le scénario prévu, les résultats sont tangibles et tu pourras en tirer profit lors de ton prochain périple, de ta prochaine représentation.

»C'est un peu comme à l'école: certains enfants ont plus de difficultés que d'autres à réussir leur année scolaire. Quelques-uns doivent même redoubler. Mais au bout du compte, tous arrivent au même point. En prenant un certain recul, les étudiants se rendront peut-être compte que l'année scolaire la plus fructueuse aura été en fait celle qu'ils croyaient avoir manquée.

— Et Marie dans tout ça? intervint Patrice. Restera-t-elle marquée par mon attitude égoïste à son égard et par la torture mentale que je lui ai infligée?

— C'est sa vie à elle, son cheminement, répondit Éleutra. Tu n'as pas à te sentir coupable. Le courage dont elle a fait preuve en t'affrontant puis en te quittant a énormément contribué à son évolution. Elle a ainsi démontré une grande force de caractère, car elle a réussi à s'affirmer et à se faire suffisamment confiance pour reprendre les rênes de sa destinée. C'était l'un de ses objectifs, n'oublie pas. En outre, l'expérience que tu lui as fait vivre lui a également permis de trouver l'amour de sa vie...»

Au son de ces paroles, Patrice ressentit un petit pincement au cœur, mais le malaise se dissipa très rapidement, pour se transformer en une grande joie. La leçon avait porté fruit. La haine s'était transmutée en un amour authentique.

Le grand Maître poursuivit:

— Marie est maintenant en contact avec sa force intérieure, qui lui permet d'aimer de la bonne façon. Et l'homme avec qui elle a entrepris de vivre une belle aventure est à son tour en train de se transformer complètement. Comme toi, il était entouré d'une carapace qui ne laissait ni entrer ni sortir aucun sentiment, quel qu'il fût. Avec les qualités intuitives qu'elle a développées avec toi, Marie a su percer l'armure que cet homme s'était forgée, avant que celle-ci ne se transforme en une barrière permanente et infranchissable. À l'heure actuelle, ils construisent ensemble quelque chose de très grand... et c'est en partie grâce à toi. Pendant que tu réfléchis à tout ça, je vais me retirer...

Patrice sursauta.

— Non, reste calme, le rassura Éleutra. Je resterai tout près, au cas où tu aurais encore besoin de moi.

Je te laisse donc sur les mêmes interrogations qui t'ont fait réagir si fort tout à l'heure: es-tu enfin prêt à pardonner du fond du cœur à Marie? Et à toi-même? Et cela inclut-il tout ce qui s'est passé entre vous, sans aucune exception?

Levant les yeux au ciel, Patrice prit à témoin la voûte étoilée et dit tendrement:

— Chère Marie, j'avoue n'avoir rien compris jadis à ce jeu que nous avons joué ensemble. Grâce à cette compréhension que je viens d'acquérir et à l'amour que j'ai pour toi, je te redonne ton entière liberté, sans aucune hésitation ni condition. Je te souhaite une vie de plus en plus heureuse auprès de cet homme qui m'a un jour remplacé, car je n'étais plus digne de toi. Mon seul désir, en ce moment, c'est que tu deviennes encore plus resplendissante en étant consciente de tes si merveilleuses qualités. Je suis vraiment content pour toi, et avec toute ma sincérité, *je te pardonne entièrement.*

À peine ces mots furent-ils prononcés qu'une image apparût sur l'écran. Patrice put y voir Marie qui s'approchait de son nouvel amoureux. Leurs visages dégageaient une telle luminosité que les objets qui les entouraient semblaient animés par leur amour. Marie prit la main de son amoureux et appuya sa tête délicate sur l'épaule de celui-ci. Son sourire était radieux alors qu'elle prononçait ces douces paroles: «Je suis prête maintenant, Jean-Pierre. Je me sens complètement libérée de mon passé et j'accepte de t'épouser.»

Les minutes qui suivirent s'écoulèrent dans une extrême sérénité. Patrice avait enfin trouvé le sens du véritable amour et il avait la chance d'en savourer l'essence à l'instant même. Marie et Jean-Pierre disparurent discrètement de son champ de vision, le laissant dans une euphorie frisant l'extase. Il se promit alors que sa prochaine vie serait vouée à la recherche de cette félicité dans laquelle il baignait actuellement et que dès qu'il l'aurait atteint, il la transmettrait à tous les cœurs qui désireraient en bénéficier.

La pièce était redevenue silencieuse. Pouvait-il se produire quelque chose de plus grandiose que ces moments de réel bonheur qu'il venait de vivre? Serait-il libéré et admis au «paradis»? En se posant ces questions, Patrice ne se doutait pas que la route à parcourir était encore longue et que le processus de pardon entrepris ne faisait que commencer...

Chapitre 9

LES ENFANTS DU DIVORCE

Patrice aurait bien voulu que ce long voyage à l'intérieur de lui-même s'achève là et que la route de la libération s'ouvre finalement à lui. Mais tel n'était pas le dessein de son âme. Quand un être s'ouvre aussi totalement à la compréhension divine, les seigneurs du karma font en sorte que la plus grande distance possible soit franchie. Et c'est ce qui s'est passé avec Patrice. Toutes les prises de conscience qu'il avait faites dans cette chambre du pardon lui ouvraient des dimensions qu'il n'aurait pu atteindre autrement. Et cela revêtait une importance capitale pour sa prochaine incarnation. De tout cœur, Patrice appréciait la chance inouïe qui lui était accordée.

Voyant qu'il était l'heure de se remettre à l'ouvrage, Patrice s'installa de nouveau devant l'écran magique, en espérant que ce qui allait y apparaître ne le bouleverserait pas autant que cela avait été le cas précédemment. Un temps d'attente, puis c'était reparti. Une voiture à l'apparence familière s'immobilisa devant la maison qui avait servi de refuge à Patrice après son douloureux divorce. La voiture s'arrêta et deux enfants en sortirent allégrement et coururent ensemble en direction de la portière du passager. D'un mouvement plein de spontanéité, ils embrassèrent tendrement leur mère, puis ils se rendirent de l'autre côté pour prodiguer les mêmes caresses au conducteur, lequel montra son appréciation par un sourire radieux.

Cette manifestation impromptue d'amour était empreinte de tendresse, de simplicité et de sincérité, qualités que souvent seuls les enfants savent parfaitement exprimer. Dans la maison cependant, un homme embusqué derrière la petite fenêtre donnant sur la rue ne le voyait pas du même œil... Que ses enfants embrassent leur mère, ça va, mais qu'ils fassent de même pour cet étranger, cet être ignoble qui lui avait volé sa femme, alors là, ça dépassait les bornes! Quel culot ils avaient de venir exécuter leur petit manège juste sous son nez, et probablement dans le seul but de le provoquer! Heureusement que la scène ne s'éternisa pas!

Benoît et Geneviève regardèrent s'éloigner la voiture et envoyèrent à ses occupants quelques marques supplémentaires d'amour avec leurs petites mains qui s'agitaient dans les airs. Camouflant tant bien que mal leur chagrin, ils empoignèrent leurs valises déjà trop usées et se dirigèrent d'un pas traînant vers la maison, dont la porte s'entrouvit pour les accueillir.

— Bonjour papa, lança l'aîné d'un ton mono-corde.

— Qu'est-ce qui vous a pris d'embrasser cet homme?, s'écria Patrice. Vous ne trouvez pas qu'il nous a fait assez de mal comme ça?

Saisissant vivement ses deux enfants par le bras, Patrice les obligea à le regarder droit dans les yeux.

— Vous semblez oublier que si cet homme que vous appréciez tant ne s'était pas présenté sur notre route, nous serions encore une famille unie, vous deux, votre mère et moi. Écoutez-moi attentivement! Je veux que vous le détestiez autant que moi, me comprenez-vous bien?

Le tension était à son maximum... Sentant qu'il n'était plus maître de lui, Patrice desserra son étreinte et essuya les gouttes de sueur qui perlaient sur son front. Cette flambée de haine avait transpercé le cœur des enfants comme un glaive qui aurait traversé un corps plein de vie. Geneviève abandonna ses bagages au beau milieu du portique et se précipita dans sa chambre où elle allait souvent chercher refuge. Elle se glissa tout habillée sous les couvertures glacées, mais tellement plus accueillantes que le regard hostile de son père.

Quant à Benoît, habitué qu'il était de ces réactions intempestives, qui étaient d'ailleurs pratiquement devenues un rituel coutumier, il poursuivit son chemin, faisant comme s'il ne s'était rien passé. En quelques enjambées, il monta à sa chambre, défit ses bagages et installa sur ses oreilles les écouteurs de son baladeur, ce fidèle ami qui le transportait loin de ses problèmes. Depuis longtemps, la musique était son exutoire. Suivant en cela les traces de son père, il apprenait déjà à s'évader devant l'adversité.

Pendant ce temps, Patrice continuait de fulminer.

— Vous n'avez pas eu l'air de trop vous ennuyer de votre père, à ce que je vois? lança-t-il sèchement du bas de l'escalier à l'intention de ses petits anges qu'il aimait pourtant tellement.

Mais il ne pouvait s'empêcher de les retenir sous sa coupe, tant était grand son esprit de possessivité, celui-là même qui avait réussi à étouffer sa propre épouse. Ses cris n'obtenant aucune réponse, son agressivité n'en fut que davantage attisée.

— Si vous l'aimez plus que moi, cracha-t-il, aussi bien me le dire tout de suite! Je suis pourtant celui qui vous a mis au monde. Je vous ai élevés, j'ai fait tant de sacrifices pour vous, et voilà comment vous me remerciez, en vous jetant sans aucune retenue, et sous mes yeux en plus, dans les bras de l'amant de votre mère. Et vlan! papa est remplacé! Vous me faites pitié. Mais ça ne se passera pas ainsi, vous allez voir que...

Ce monologue chargé d'émotion se poursuivit pendant plusieurs minutes sans qu'aucun des deux enfants n'y porte attention. Benoît et Geneviève avaient appris depuis longtemps à rester impassibles devant ce chantage affectif dont leur père était devenu le champion, particulièrement depuis sa séparation d'avec leur mère.

Se rendant finalement compte de l'inutilité de ses reproches, Patrice, las et brisé, se dirigea comme à son habitude vers le réfrigérateur et déboucha une nouvelle bouteille de bière pour essayer de noyer dans l'oubli cette rage envahissante qui le détruisait petit à petit.

Bouche bée, Patrice contemplait l'écran, complètement atterré de se revoir ainsi. Il venait d'assister à un spectacle de mauvais goût, auquel il se serait sans doute soustrait s'il en avait eu la possibilité. Mais sur le plan où il se trouvait, il était impuissant à changer quoi que ce soit à la projection.

Sa réaction première fut de se demander comment il avait pu agir aussi cruellement. Quel ignoble monstre se cachait donc en lui pour qu'il ne puisse se rendre compte de la tangente destructrice qu'il empruntait? Mais il se reprit à temps, évitant encore une fois de s'apitoyer sur lui-même.

À la lumière des expériences qu'il avait vécues dans cette chambre du pardon, il parvenait à manifester une plus grande neutralité et un certain détachement face aux événements de sa vie. Malgré la nouvelle maturité acquise, il ne pouvait cependant s'empêcher d'éprouver une profonde pitié pour l'homme qu'il avait été et qu'il voyait maintenant s'autodétruire.

La démonstration maladive de jalousie à laquelle il venait d'assister et dont il était malheureusement le principal acteur avait été son lot durant toutes les années qui avaient suivi sa séparation et son divorce. Le souvenir de cette période restait profondément gravé dans sa mémoire.

À la suite d'interminables procédures devant les tribunaux, Patrice avait difficilement obtenu un droit de visite pour ses enfants, une fin de semaine sur deux. Quand il était seul, il ne cessait d'ourdir de sombres complots dans le but d'anéantir son ex-conjointe, car son désir de vengeance le poussait constamment à utiliser ses enfants pour épier les moindres faits et gestes de Marie et de son nouvel amant. Chaque fin de semaine de visite, c'était toujours le même manège: l'incontournable inter-rogatoire sur tout ce qui s'était passé durant les deux dernières semaines, un vrai cauchemar pour les pauvres enfants, déchirés par des conflits auxquels ils ne comprenaient rien.

Avec eux, Patrice tirait avantage de ses talents de manipulateur. Il était en effet passé maître dans l'art de trouver dans chaque situation, dans chaque parole des intentions malveillantes démontrant incontestablement à ses petits que Marie et Jean-Pierre essayaient de les monter contre lui. Tout était interprété de façon que Patrice soit perçu comme la victime incontestable.

Il était tellement crédible dans son rôle de victime que les histoires qu'il inventait pourtant de toutes pièces devenaient tout à fait réelles pour lui. Pour compléter le tableau, il s'était entouré de personnes qui l'encourageaient dans sa démarche hargneuse.

Benoît et Geneviève se sentaient comme des pions dans ce jeu d'adulte. Ils en étaient même arrivés à craindre comme la peste le fameux questionnaire de leur père et à éviter, dans la mesure du possible, de prononcer devant lui le nom de leur mère, et encore moins celui de Jean-Pierre.

Patrice percevait maintenant clairement les états d'âme que son attitude dominatrice et belliqueuse avait fait naître chez ses enfants. Il comprenait les pensées associées à ses paroles négatives et à ses gestes égoïstes. Il put voir la petite Geneviève, recroquevillée sous les couvertures après la scène de son père, au bas de l'escalier. Il put lire dans ses yeux le profond désespoir d'une fragile poupée déchirée entre l'amour de sa mère et celui de son père. Pourtant, et c'était ce qui le bouleversait le plus, cette petite fille ne pouvait s'empêcher d'aimer l'homme qu'il était, avec tous ses défauts.

Son jeune cerveau qui n'avait pas encore perdu la pureté de l'enfance lui fit comprendre que la vie se déroulait de la même façon pour la majorité des enfants et qu'il fallait essayer de découvrir la bonté en chaque être. Comme le monde des adultes lui semblait compliqué! Elle en était même venue à espérer ne jamais y entrer et son corps avait cessé de grandir comme pour appuyer son intention de ne pas vouloir accéder au monde des adultes.

Malgré les infamies proférées par Patrice à l'endroit de son «nouveau» père, Geneviève avait succombé à son charme et s'était littéralement entichée de lui. Ce cher Jean-Pierre faisait tout en son pouvoir pour se faire une grande amie de ce petit être brisé: promenades, cadeaux, gâteries, petites attentions toutes simples mais combien appréciées, tout y passait. Il était tout le contraire de son vrai père. Papa Jean-Pierre, comme elle se plaisait à l'appeler dans les moments d'intimité familiale, lui témoignait une bonté et une magnanimité sans borne. Elle en avait la preuve chaque jour. Pourtant, quand elle se retrouvait avec son vrai père, ce même Jean-Pierre devenait en quelques secondes un «imbécile sans scrupules» qui lui avait volé sa mère et avait détruit sa famille. Dans quel dilemme elle se trouvait!

L'expérience de ses douze ans ne permettait pas toujours à Geneviève de distinguer le vrai du faux et elle se retrouvait parfois dans un brouillard épais où elle ne pouvait rien discerner. Ni son cœur ni sa tête ne pouvaient comprendre la stupidité et l'hypocrisie de cet univers d'adultes dans lequel elle était ballottée comme une barque à la dérive.

La parcelle de divinité qui était en pleine expansion dans son cœur d'enfant lui criait qu'aimer *réellement* quelqu'un consistait à faire tout ce qui était en son pouvoir pour le rendre heureux. Pourtant, en voyant son ex-épouse si épanouie et en prenant conscience du chemin qu'elle avait parcouru depuis sa rupture, son père aurait dû comprendre le bonheur qu'elle vivait à l'heure actuelle. S'il l'aimait vraiment, son père devrait être heureux de la voir ainsi! C'était clair dans son petit cœur! Mais la réalité était, hélas, tout autre!

Profondément touché par la pureté et la naïveté de cette enfant, Patrice fondit en larmes. Dans son esprit troublé repassaient les scènes au cours desquelles il avait traité Marie de tous les noms devant Geneviève. Il vit la grisaille s'installer graduellement dans le cerveau de sa fille en même temps qu'un épais nuage de dédain perturbait son aura. Que de bouleversements il avait provoqués chez ses enfants en tentant de se convaincre lui-même qu'il avait été bassement trahi par son ex-épouse quand ce n'était même pas le cas!

Débordant de haine pour cet être infâme et égoïste qu'il avait été, Patrice ne cessait de se répéter: «Quel idiot j'ai été! Quel idiot!» Et sur un ton désespéré, il ajouta sourdement: «Que faire pour me libérer?»

Sachant que dans les moments cruciaux, il suffit de demander de l'aide pour qu'elle nous soit accordée, Patrice appela au secours. Mais cette fois, le ciel ne l'entendait pas ainsi.

Les images du film se remettèrent en marche avec son fils comme principal acteur, lui qui n'avait jamais *paru* affecté par les élucubrations maladives de son père. La scène montrait Benoît dans la chambre qu'il occupait lors de ses visites chez son père. Il allait de la valise à la commode avec ses vêtements dans les mains, comme il le faisait régulièrement deux fois par mois depuis plus de deux ans. Son père entra, s'assit sur le lit et commença son harassant questionnaire: es-tu bien traité? Est-ce que maman a parlé de moi? Est-ce qu'ils sortent beaucoup? Vont-ils au restaurant? Semblent-ils avoir suffisamment d'argent? Dépensent-ils beaucoup? Est-ce que Jean-Pierre est correct avec toi? Tu sais, s'il te touche ou est trop affectueux, fais attention. On n'est jamais trop prudent avec ce genre d'individu!

Avec l'expérience de ses quatorze ans, le jeune garçon avait compris qu'il était préférable d'en dire le moins possible lors de ces interrogatoires. D'ailleurs, Patrice ne lui laissait pas vraiment le temps de répondre et Benoît en était fort aise. Avec le temps, il s'était entouré d'une épaisse couche de protection, dont il avait de plus en plus de mal à se départir dans ses relations avec les autres. Ce rempart qu'il avait dressé entre lui et son entourage le protégeait contre toute menace extérieure, un peu à la manière de l'eau qui glisse sur les plumes d'un canard.

Une fois l'interrogatoire terminé, Patrice se vit sortir de la chambre pour aller ressasser ses idées noires. Au centre de l'écran, Benoît referma calmement la porte derrière son père. Puis, après s'être assuré que celui-ci se trouvait bien hors de sa sphère d'intimité, il se précipita sur son lit, enfouit sa tête dans l'oreiller et éclata en sanglots, comme un jeune enfant à qui on aurait enlevé son plus beau jouet. Ce jouet, c'était la complicité de son père. Benoît sanglota ainsi pendant plus d'une heure, et Patrice eut alors accès aux pensées qui se bousculaient dans la petite tête de son fils et aux émotions qui lui chaviraient le cœur. Quand il se retrouva seul, sa carapace ne lui servait à rien, pas plus qu'à son père, d'ailleurs, car il ne pouvait se protéger de lui-même.

Atterré, Patrice eut la nette impression que son fils ne l'aimait plus. Même s'il semblait accepter la situation avec une certaine sérénité, à l'intérieur de lui, la haine est là, tel un ver insidieux qui ronge inexorablement une pomme, laquelle continue de présenter une pelure rouge et brillante. Cet enfant qui n'avait jamais montré la moindre émotion ni versé la plus petite larme en présence de son père était complètement bouleversé et démuni aussitôt que ce dernier avait tourné les talons.

«Un homme, ça ne pleure pas.» Combien de fois lui avait-on servi cette phrase en apparence anodine, mais pourtant si lourde de conséquences! Le résultat, il l'avait sous les yeux. Un enfant obligé de porter un masque. Quelle horreur! Quel gaspillage! L'innocence d'un enfant perdue à cause de l'indignité de son père.

Patrice ferma les yeux un instant, pour mieux constater sa responsabilité concernant les états d'âme de son fils. Mais il refusa encore une fois de courber l'échine devant ce nouveau coup du sort. Plutôt que de s'appesantir sur ce qui aurait pu être considéré par plusieurs comme un échec, il préféra faire face à la situation courageusement, et sans amertume.

Comme ce fut le cas pour Geneviève, aussitôt que Patrice eut reconnu et accepté sa vulnérabilité, les effets de chacune de ses interventions négatives concernant Marie et son nouvel amant lui apparurent: accès de rage, pleurs, cris étouffés dans l'oreiller, rien ne lui fut épargné. Ces scènes, quoique cruelles, étaient cependant essentielles à son cheminement. Elles avaient pour but de nettoyer son espace intérieur afin qu'il puisse prendre un nouveau départ. Mais ce qu'il avait découvert sur lui-même l'attirait. Quel gâchis il avait fait de sa vie et de celle de ses enfants avec son attitude destructrice! Pourquoi n'avait-il pas compris que ces deux petits êtres n'avaient absolument rien à voir dans le conflit qui divisait leurs parents, ou plutôt dans la mésentente qui avait été créée de toutes pièces par un père obnubilé par ses sentiments égoïstes? Comment ces enfants, une fois adultes, pourraient-ils envisager une vie de couple saine et heureuse en ayant comme modèle un père dont le pseudo-amour ne leur avait apporté que déception?

Vidé, Patrice faisait face au néant. Les yeux hagards, il ruminait l'échec de sa vie et de son rôle de père. Il en était là dans ses pensées lorsque deux petits êtres encore emmitouflés dans leur couverture de laine firent leur apparition dans la chambre du pardon. Ils s'étaient glissés hors de leur sommeil, mais en gardant la beauté de l'enfant endormi. Avec la douceur d'une brise printanière, ces deux âmes d'une extrême luminosité s'approchèrent de l'homme défait qui n'avait pas encore remarqué leur présence. Sentant soudain cette fraîcheur qui avait envahi la pièce, Patrice leva les yeux et sursauta à la vue des deux jeunes visiteurs, ses enfants chéris qui se tenaient bien droit devant lui.

«Bonjour papa, lança l'aîné d'une voix douce et compatissante. Je suis tellement heureux de te revoir! Et je crois que nous avons à nous parler.»

Quant à Geneviève, elle ne disait rien, se contentant de sourire et de s'abreuver du regard et des vibrations d'amour qui émanaient de son père en cet instant d'éternité. Benoît reprit:

— Ma sœur et moi avons senti que tu avais des choses importantes à régler avec nous. C'est pourquoi nos âmes sont venues vers toi alors que nos corps étaient profondément endormis dans leur lit. Comme tu dois maintenant le savoir, pendant que notre enveloppe de chair reprend des forces durant la nuit pour pouvoir entreprendre la journée suivante avec vigueur, notre âme a la possibilité de se mouvoir en toute liberté dans des dimensions bien différentes de celles du plan physique. C'est ainsi que nous nous sommes rendus jusqu'ici, guidés par un ange, un être magnifique. Tu te rappelles son nom? ajouta-t-il à l'intention de Geneviève, qui était en adoration devant son père qui lui manquait tant.

— Éleuta... ou tra..., je ne sais trop, répondit-elle. Il nous a dit que tu le connaissais, c'est vrai?

Patrice acquiesça, plein de gratitude envers cette aimable entité de lumière. Puis, d'une voix tremblante mais remplie de tendresse, il laissa parler son cœur:

— Mes chers enfants, si vous saviez le cheminement intérieur que j'ai entrepris avec l'assistance de cet ange magnifique! Je n'ai jamais vu un être manifester un tel amour et un tel respect pour les pauvres humains. Mais, trêve de bavardages! Vous m'avez intrigué avec votre visite impromptue et j'aimerais en connaître le but exact. Pourquoi avez-vous encore le désir de venir rencontrer ce père qui vous a fait tant de mal? Ne devriez-vous pas plutôt le détester? Je ne comprends pas! Tout ce que j'ai réussi à faire au cours des dernières années que nous avons passées ensemble, c'est de vous utiliser dans mes sombres desseins dans le but de dénigrer votre mère. Croyez-moi, et je suis sincère en disant cela, je suis ravi de vous retrouver, mais je ne mérite pas de profiter de votre présence ni de bénéficier de vos sublimes sourires.

— Ça y est! s'exclama Benoît dans ce grand éclat de rire dont il savait jadis si bien se servir pour masquer ses émotions, tu te prends encore au sérieux... Décroche un peu, espèce de vieux papa grincheux!

Cette remarque faite sur un ton enjoué eut l'effet d'une bombe de bonne humeur sur Patrice. Elle détendit l'atmosphère en moins de deux. La distance qui depuis tant d'années séparait ce père autoritaire et les enfants soumis s'estompa subitement. Un pont venait d'être jeté entre les deux camps. Ils pouvaient désormais se parler d'âme à âme, sans qu'aucun conflit de personnalité ne vienne perturber leur relation. L'*ego* de chacun étant demeuré sur terre, leur âme pouvait enfin vivre en liberté dans la vérité. Pour Patrice, son rôle de père était déjà loin derrière lui; il ne subsistait qu'une simple entité en face de deux autres, toutes les trois étant intimement liées de par leur vie antérieure encore toute récente.

Comme la conversation tardait à redémarrer, Patrice prit les devants, feignant l'impatience:

— Vas-y, Ben (il appelait son fils ainsi lors de leurs rares moments de complicité sur terre), déballe ton sac. Pourquoi es-tu là, vas-tu me le dire, à la fin?

— Ah oui, c'est vrai. J'étais en train de m'égarer dans la beauté qui se dégage de cet endroit. Pour répondre à ta question, je te dirai que nous sommes venus simplement pour que tu saches et comprennes que tu as été pour nous, crois-le ou non, le plus merveilleux des pères que nous ayons pu rêver d'avoir, et je dis cela avec le plus grand sérieux du monde.

— Non, mais vous voulez rire ou quoi?

— Veux-tu bien le laisser continuer? s'impatienta la petite Geneviève, en faisant mine d'être contrariée.

— Ce que je veux dire, papa, c'est que tu as joué ton rôle comme il était prévu que tu le fasses. Ne te souviens-tu donc pas de l'entente que nous avions conclue, maman, toi et nous dans la période précédant notre naissance? Apparemment non, mais peu importe, nous en reparlerons plus tard. Pour l'instant, tais-toi pour une fois... et laisse-moi parler.

Cela faisait tout drôle à Patrice d'entendre ce petit bout d'homme parler à son père de cette façon, avec autant d'assurance, d'amour et de sagesse, lui qui, sur la terre, craignait d'adresser la parole à son père.

— Laisse-moi te raconter une histoire, proposa Benoît. Il y a deux ou trois siècles, je ne sais trop, car mon séjour sur la terre a quelque peu embrouillé ma mémoire, un jeune couple vivait en Nouvelle-France. Les premières années passées ensemble furent agréables pour ces deux tourtereaux. Mais quand leurs deux enfants sont nés, de gros nuages gris se sont amoncelés dans leur ciel. Alexandre, le père, était un travailleur acharné qui ne se souciait nullement de l'éducation de ses enfants. En ce temps-là, c'était l'affaire des femmes d'élever les enfants, le rôle du mari se résumant à gagner suffisamment d'argent pour les nourrir et les vêtir convenablement. Alexandre considérait comme pure perte de temps tout ce qui sortait de ses attributions. D'ailleurs, comme il le disait si bien, les sentiments, ce n'était pas pour lui. Il n'avait jamais versé une seule larme de sa vie et il s'en enorgueillissait de surcroît, car un homme véritable, selon lui, ne se serait jamais laissé aller à une telle faiblesse. Ses vues étroites l'ont rapidement éloigné de sa femme et de ses enfants, ce qui entraîna sa perte.

»Son épouse, Élizabeth, était par contre une femme de tête. Elle avait été très dévouée durant les premières années de son mariage mais elle était rapidement devenue aigrie, à cause du comportement superficiel de cet homme qui l'avait vite reléguée au rang de "servante de la maison". Élizabeth finit par se lasser de ce "courant d'air" qui partageait sa couche de temps en temps, quoique de moins en moins souvent avec les années. Un jour, elle profita d'une absence prolongée de son mari pour plier bagage et filer en douce avec ses enfants, alors âgés de sept et neuf ans. Ceux-ci considérèrent d'abord cette fuite comme une belle aventure mais un jour, ils se lassèrent de leur nouvelle vie et ils ressentirent le grand vide laissé par l'absence de leur père.

»Lorsqu'ils vivaient encore ensemble, même si le père brillait généralement par son absence, les brefs moments qu'il passait avec ses enfants n'en étaient que plus précieux pour eux. Au moins, ils savaient que celui-ci n'était pas loin et qu'il reviendrait toujours. Un simple clin d'œil, un demi-sourire suffisaient pour rétablir le contact. Mais voilà que le lien fragile qui les unissait s'était rompu.

»Après leur départ de la maison, les deux enfants ne revirent jamais leur père, qui n'entreprit d'ailleurs aucune démarche pour les retrouver, préférant profiter de sa nouvelle liberté pour descendre un peu plus bas dans sa déchéance. On le retrouva quelques mois plus tard, dans un fossé, ivre-mort, oublié de tous.

»Il est possible que cette histoire te semble familière, car le couple dont il est question, c'est Geneviève et moi. Et pour les enfants, devine? C'est toi et... maman. Invraisemblable, n'est-ce pas?»

— Tu peux le dire! approuva Patrice, secoué par cette révélation. Mais j'ai entendu tellement de propos bizarres jusqu'à maintenant, qu'un de plus ou de moins ne va sûrement pas faire une grande différence. Allez, continue, ton histoire m'intéresse! tu sais, depuis que j'ai traversé ce fameux tunnel, mon petit cerveau borné a repoussé énormément ses limites. Plus je me rapproche de ma source, plus je me rends compte de l'interdépendance de tous les éléments de cet univers merveilleux. Chaque chose prend un sens nouveau pour moi et je ne peux faire autrement que de me laisser pénétrer par toutes les révélations qui me sont faites. C'est pourquoi j'accueille ton récit avec le plus grand intérêt. Je crois que tu es très surpris de ma réaction, n'est-ce pas?

Et tous de rire de bon cœur.

Pendant ce temps, la petite Geneviève se tenait un peu à l'écart, laissant son frère envelopper de lumière l'âme de son père. Mais sentant soudain qu'il était temps pour elle de prendre la relève, elle s'approcha tout près et poursuivit la conversation en prenant une voix tendre et posée:

— Quelques mois avant la naissance de Benoît, nos âmes se sont réunies exactement comme nous le faisons maintenant, mais dans un autre endroit. Ensemble, Benoît, maman, toi et moi avons convenu qu'il serait profitable pour chacun de nous de répéter l'expérience de cette vie antérieure, mais en inversant les rôles, les parents devenant les enfants, et vice versa.

»Lorsque nous formions un couple, Benoît et moi, et que nous avions laissé éclater notre famille, nous ne savions pas l'angoisse que nous ferions vivre à nos enfants: toi et maman. Si nous n'avions pas agi avec autant d'impulsivité et d'égoïsme, si nous avions eu la maturité de conclure une entente afin de permettre à nos enfants de profiter alternativement de la présence de leurs deux parents, nous n'aurions pas été obligés de vivre les bouleversements de ces dernières années. Au contraire, je vous ai arrachés à votre père sans vous demander votre avis, car Élizabeth, c'était moi, n'oublie pas. Ainsi, je vous condamnais à le haïr et à refouler les élans d'amour qui vous poussaient vers lui.

»Mais pour la présente existence, c'est nous qui avons choisi de vivre cette situation difficile. Votre rôle, tel que vous en aviez convenu avec nous, consistait à faire tout votre possible pour vous entendre du mieux que vous le pouviez. Si vous échouiez — de cela, nous étions conscients et nous l'avons pleinement accepté —, c'était la difficile séparation, avec tous les problèmes qui en découlaient. La vie est ainsi faite: chaque décision que nous prenons a une importance capitale sur notre avenir. Rien n'est définitif. Quoi qu'il se passe, nous avons la certitude de tirer profit de toute expérience et d'en sortir grandis, n'est-ce pas, Benoît?»

— C'est exactement cela, affirma l'aîné. Nous avons tout à gagner de cette vie, sinon, pourquoi l'aurions-nous choisie? Tout a un sens dans cet univers, le hasard n'existe pas. Même les rencontres les plus impromptues, les incidents les plus banals, les maladies les plus bénignes, tout a sa raison d'être. Nous retirons quelque chose de tout événement, quel qu'il soit. Si maman et toi aviez pu vous réconcilier à temps et passer à travers la tempête qui a bouleversé votre couple, nous aurions pu expérimenter à travers vous la puissance de l'amour, de la complicité créatrice et de la bonne entente. Mais vos réactions et le fait que vos routes se soient progressivement éloignées l'une de l'autre, dans la haine et la discorde, nous a plongés dans le drame. Car il y a toujours une déchirure qui se produit à l'intérieur d'un petit cœur quand les deux personnes qu'il aime le plus au monde se chicanent et s'entretuent. C'est terrible comme sensation, mais c'est en même temps constructif pour une âme en quête de maturité.

»Papa, sois assuré que ton attitude, quoique cruelle, a semé en nous des graines très productives, ce qui nous permettra de ne plus jamais agir de cette façon irresponsable à l'égard des enfants que nous aurons un jour chacun de notre côté. La leçon est bien apprise pour nous, et c'est ce qui compte. Grâce à toi et à maman, la roue du karma a tourné sur notre évolution commune. Nous avons connu les deux côtés de la médaille, et c'est très bien ainsi... N'aie aucun remords en ce qui nous concerne. Chaque expérience est positive, il s'agit de prendre un certain recul vis-à-vis d'elle et de la regarder avec les yeux du cœur.»

Encore tout émue par l'attitude inhabituelle de son frère et de son père, la petite Geneviève avait peine à poursuivre la conversation. Elle dit pourtant:

«Nous récoltons maintenant les fruits de nos incarnations successives. Nous nous retrouvons avec maman et son grand amour, Jean-Pierre, dans un foyer formidable, un nid douillet où la présence d'un père nous est finalement accordée.»

Contrairement à ce qui se passait précédemment, Patrice n'avait pas ce pincement au cœur qu'il connaissait si bien mais il ressentait un immense soulagement; l'amour véritable se frayait enfin un chemin.

«Si tu n'avais pas existé, poursuivit Geneviève, cela ne serait jamais arrivé et nous n'aurions pu apprécier ce que nous vivons actuellement. Bien souvent, l'âme a besoin de connaître des situations totalement différentes afin d'en dégager les leçons appropriées et d'en savourer par la suite les résultats.

»À mon avis, une personne parfaitement heureuse est celle qui a appris à vivre pleinement tous ses apprentissages. Ainsi, quand tu retourneras sur la terre dans un nouveau corps et que tu formeras un nouveau couple duquel naîtront d'autres enfants, ce que tu as vécu avec nous te servira de boussole intérieure pour te guider vers une vie familiale plus réussie. À moins que tu ne t'entêtes à répéter les mêmes erreurs, ce qui me surprendrait énormément, étant donné le rayon de lumière que tu as laissé pénétrer en toi depuis ton arrivée ici. De toute façon, à chaque nouvelle incarnation, l'âme emporte avec elle des outils supplémentaires qui l'aident à triompher plus facilement des embûches qui sont sur sa route. En poursuivant son évolution, chacun se dirige invariablement vers les sommets toujours plus élevés.»

Geneviève se tut, laissant les vibrations de ses dernières paroles investir l'âme de son père.

Patrice était là, ébahi, regardant ses enfants qui conversaient avec lui comme l'auraient fait de grands maîtres. Peut-être en étaient-ils après tout. Ces deux petites âmes qu'il avait devant lui dégageaient une telle lumière et une telle sagesse qu'il en tomba à genoux. Le regard tourné vers le ciel, il loua ce Dieu qu'il réapprenait à découvrir et le remercia de lui avoir ménagé cette ultime rencontre avec ses enfants. Il avait ainsi pu se rendre compte que ceux-ci n'étaient pas uniquement, comme il le croyait auparavant, des personnes en devenir, sans aucune expérience de la vie et ayant tout à apprendre des adultes. Quelle prétention était la sienne alors! Il avait maintenant la preuve qu'un grand sage pouvait se cacher derrière tout être, enfant, clochard, infirme ou gourou. Seule une entité ayant vécu une longue et fructueuse évolution peut déceler l'élévation derrière certains masques. Juger une personne d'après les apparences est un travers très répandu dont Patrice avait déjà fait l'expérience.

Baissant les yeux vers ses petits «anges», il les invita à venir se blottir une dernière fois dans ses bras, ce qu'ils firent sans se faire prier. Les instants qui suivirent emplissaient l'univers entier d'un nuage d'amour et de tendresse qui imprègna de sa pureté tous les êtres voulant bien en accueillir les vibrations.

Geneviève tourna alors lentement la tête vers son père et rompit cet instant magique:

— Maintenant, je sens que mon corps physique me rappelle à lui mais avant de m'en aller, laisse-moi te dire encore une fois un fier merci pour ce que tu nous as fait vivre. Sans t'en rendre compte, tu nous as permis de traverser une des dernières étapes qu'il nous restait à franchir sur la terre. Benoît et moi avons encore de nombreuses années devant nous pour parachever le polissage de nos âmes. Et, si tout se passe comme prévu, nous emprunterons une dernière fois ce tunnel de la transition pour rentrer définitivement dans notre véritable demeure. Nous sommes très près de l'un de nos buts, le plus important d'ailleurs, celui de la perfection terrestre. C'est elle qui ouvrira en quelque sorte la porte à l'Initiation, et nous pourrons alors emboîter le pas vers une autre dimension encore plus élevée, inconnue de la majorité des humains.

Geneviève termina son exposé sur un paisible sourire. Sentant lui aussi cet appel du retour, son frère se leva pour la rejoindre. Puis, sans bruit, les petites âmes s'en retournèrent comme elles étaient venues, avec la douceur et la grâce d'une colombe, avec sa blancheur aussi. Elles laissaient derrière elles un homme en paix avec lui-même, un homme libéré du cauchemar qu'il avait lui-même initié, à cause de son manque de connaissances et de son incompréhension du vrai sens de la vie.

Débordant de reconnaissance, mais le cœur un peu serré, Patrice regarda s'éloigner ces deux adorables enfants venus simplement pour le remercier. Baignant dans une mer de gratitude, il voyait maintenant avec d'autres yeux sa vie de couple, qu'il avait jusqu'alors considérée comme un échec total. Selon cette nouvelle perspective, celle-ci prenait soudainement un tout autre aspect. Il ne s'agissait que d'une simple vague dans la grande mer de l'expérience humaine. Une vague qui s'était finalement rendue jusqu'à la plage pour s'y fondre dans la surface sablonneuse, comme le font toutes les autres vagues depuis la nuit des temps. Ah! comme cette nouvelle perception se faisait douce à son cœur! Aurait-il eu le dixième de cette compréhension lors de son douloureux passage sur la terre que sa vie aurait été un paradis, conclua-t-il. «La prochaine fois, je m'en souviendrai, se promit-il sinon...» Et il se mit à rire de bon cœur, avec des larmes de joie plein les yeux.

Au même moment, plus bas, beaucoup plus bas, deux enfants s'éveillèrent presque en même temps et se tournèrent lentement l'un vers l'autre, l'air radieux.

— Tu ne peux pas savoir à quoi j'ai rêvé, souffla la petite fille à son grand frère, encore à moitié endormi mais bien à l'écoute. J'étais dans une belle chambre, tu t'y trouvais toi aussi et nous parlions avec papa! C'était merveilleux, car il était complètement changé. Il nous a serrés très fort dans ses bras...

— Je ne te l'aurais jamais dit si tu ne m'en avais pas parlé auparavant, avoua Benoît avec un sourire en coin, mais j'ai fait exactement le même rêve. C'est très bizarre! Est-ce possible que nous soyons vraiment allés le visiter? Je revois si distinctement son visage. Il n'était plus reconnaissable tellement il était rayonnant, notre vieux papa grincheux!

Les enfants pouffèrent de rire et tombèrent dans les bras l'un de l'autre, comme s'ils venaient de découvrir la clef d'un insondable mystère dont ils pouvaient désormais partager le secret.

De là-haut, Patrice vit toute la scène. Il resta immobile pendant de longues minutes, savourant pleinement ce doux repas d'amour et d'harmonie que lui servaient ses deux petits, ces extraordinaires maîtres incarnés sur terre pour parfaire leurs âmes pourtant tellement avancées. La pureté qui se dégageait de leur enlacement faisait monter en son âme un désir profond de recommencement, un désir de retourner encore une fois sur cette chère planète afin de continuer son cheminement, mais cette fois, en étant animé de cette nouvelle conscience qu'il venait d'acquérir.

Ce désir d'évolution, il ne l'avait jamais senti aussi fortement qu'en cet instant précis. Pourquoi ce goût subi de retourner dans cet enfer alors que de merveilleuses vacances l'attendaient probablement à la sortie de la chambre du pardon, dans cet éden promis par presque toutes les religions du monde? Il ne put s'expliquer cet élan grisant, mais il choisit de lâcher prise et de suivre le cours des événements tels qu'ils se présenteraient... ce qui ne tarda pas à se produire, précipitant Patrice dans une autre aventure qu'il aurait probablement préféré ne jamais connaître.

Chapitre 10

UN HORRIBLE CAUCHEMAR

Après les intenses et enrichissants moments passés en contact direct avec la partie la plus sublime de son être, Patrice reprit lentement le fil de ses pensées. Les derniers vestiges de ses facultés intellectuelles le ramenèrent progressivement à ses doutes et à son attitude cartésienne habituelle. Encore une fois, son intellect tenta de le convaincre qu'il était peut-être en train de rêver et que son désir impulsif de retourner parfaire son évolution sur la terre n'était qu'un réflexe provoqué par la félicité ressentie lors de son dernier visionnement, une réaction sûrement passagère, et donc sans importance. Même dans l'au-delà, Patrice avait encore gardé un pied sur terre...

Mais cette impression fut de courte durée et il ne put nier l'évidence. Ses doutes s'estompèrent alors très rapidement, car son cœur était maintenant le plus fort. La vue de ses enfants enlacés dans le petit matin et se racontant leur rêve l'avait marqué plus qu'il ne s'en doutait. Et cette obsession inexplicable de reprendre du service, avec son expérience toute neuve, le tenaillait de plus belle. Ce feu sacré allumé en lui par l'étincelle d'amour de ses enfants l'illumina, et rien ne laissa présager qu'il ait pu s'éteindre.

C'était peut-être ça, l'indescriptible désir d'évoluer qui incite l'âme à se réincarner! «Avec tout ce que je sais, se dit Patrice, ma prochaine vie ne sera pas un drame, mais plutôt une magnifique comédie où je ne m'identifierai pas continuellement au personnage que j'aurai décidé d'incarner.» Cette pensée le fit sourire quand soudain une voix chaleureuse vint briser le silence.

«Ce sera en effet beaucoup plus facile,» entendit-il prononcer derrière lui.

Se retournant, il vit Éleutra qui venait de faire son apparition dans la pièce. Patrice ne lui sauta pas au cou comme il avait l'habitude de le faire auparavant, mais il était très heureux de reprendre le contact magique avec son précieux compagnon. L'intensité de la lueur qui émanait de ses yeux était éloquente. L'ange lui renvoyait son regard, indiquant par là sa satisfaction d'être de nouveau auprès de son grand ami.

— Si tu le désires, lui dit Éleutra, la vie deviendra de plus en plus facile et intéressante pour toi. Même si ta conscience semble avoir tout oublié, le processus de pardon amorcé depuis ton arrivée en ce lieu te fera dorénavant réagir aux aléas de la vie de façon beaucoup plus positive et déterminée qu'auparavant.

»Durant ta prochaine incarnation, tu mettras de côté, et probablement à jamais, cette ancienne attitude défaitiste que tu avais adoptée et qui ne te menait qu'à l'apitoiement sur toi-même. Car tu sais maintenant que seules la compréhension et la prise en charge de tes émotions sont responsables de ton devenir et que tu es finalement le seul maître de ton destin. Ta nouvelle façon de penser et de réagir face aux problèmes qui se présenteront attirera les événements compatibles avec ton désir d'en tirer profit. Selon la loi des affinités, le positif n'attire irrémédiablement que le positif; il en est de même pour le négatif.

»Mais revenons à nos moutons, car il te reste encore une étape à franchir avant d'être complètement libéré de ce poids que tu portes sur tes épaules depuis ton dernier passage sur la terre. Quand tu auras déposé ton fardeau, tu pourras enfin être libre et profiter aussi longtemps que tu le voudras de ce merveilleux paradis, de cette fabuleuse oasis de paix qui t'attend au-delà de ces portes.»

Patrice savait très bien qu'il n'avait pas tout réglé, mais il ne voulait pas y penser, de peur d'être justement contraint à y faire face. Il préférait se cacher la vérité. Il avait toujours eu en effet ce don inné de s'éclipser commodément dans les situations difficiles. Pour le taquiner, Marie le comparait d'ailleurs souvent à une couleuvre. Il était vraiment passé maître dans l'art de l'esquive, un véritable Houdini! Un rendez-vous de dernière minute, une urgence à régler, un téléphone à passer, tous les stratagèmes étaient bons pour éviter de faire face à la musique. Il se tenait loin de tout ce qui l'aurait obligé à s'engager, ou plutôt de ce qui l'aurait forcé à dévoiler ses sentiments les plus intimes. Comme tout homme qui se respecte — selon sa conception de la vie —, il n'aimait tout simplement pas afficher ses vraies couleurs. Ce sombre trait de caractère, il le tenait, à son avis, de son père. Son père! Voilà, il l'avait dit. Il s'agissait sûrement là de l'ultime étape à franchir.

Dès qu'il pensa à cet être infâme dont il aurait voulu laisser le souvenir s'évanouir à tout jamais dans la nuit des temps, Patrice eut la certitude que cette fois, il ne se défilerait pas. La couleuvre en lui était morte. Son esprit n'avait qu'un seul but désormais, celui d'évoluer et, par le fait même, d'obliger son âme à régler tout ce qui aurait pu constituer une entrave. Patrice se résigna et, avec le courage du gladiateur qui s'engage dans le combat final, il activa par la pensée la projection du film de sa vie.

Un homme costaud aux allures sombres et sévères occupa l'écran, un être dénué de sentiments, un être opaque comme le brouillard qui couvre la vallée en automne. C'était bien lui, Albert, ce père qu'il reconnut au premier coup d'œil. À sa vue, les battements de son cœur s'accélèrent. Le colosse entra lourdement dans la maison. Patrice, alors âgé de cinq ans, jouait paisiblement dans son carré de sable lorsqu'il entendit un fracas d'enfer en provenance de la cuisine. Se précipitant vers l'escalier que son père venait d'emprunter, il grimpa précipitamment les marches. Par le grillage de la porte, il vit une scène qui se répètait trop souvent, hélas, et qui lui chavirait le cœur.

Son père, rendu agressif par l'alcool, semblait prendre un malin plaisir à taper sur sa mère, qui avait... oublié de lui préparer à dîner, semble-t-il. Il faut dire que le pauvre bougre était parti de la maison depuis plus de trois jours et qu'il n'avait donné aucun signe de vie depuis. Les coups n'arrêtèrent que lorsque la pauvre femme se fut écroulée sur le sol.

Comme si son geste ne constituait qu'un banal événement sans importance, l'homme ne montra aucun remords. Après s'être légèrement calmé au moyen d'une bonne gorgée de whisky, il aida sa femme à se relever, l'étendit sur le lit et il lui prodigua tant bien que mal les premiers soins. Il se coucha à son tour, pour s'endormir quelques instants plus tard en emplissant la chambre de ses ronflements sonores.

C'est cette image d'une loque humaine dénuée de respect pour autrui que Patrice avait retenue de son père, ce monstre d'égoïsme pour qui seul son univers comptait. Il semblait croire que le monde n'avait été créé que pour le servir. Et ce monde, c'était surtout *sa* femme et *son* fils, cet unique rejeton qu'il n'avait jamais désiré et dont il ne s'était pratiquement jamais occupé.

Albert ne s'était pas rendu compte que son fils de cinq ans assistait, impuissant, à ces crises de violence, avec dans les yeux, des larmes de peur et de rage. Ce gamin si frêle se tenait là, grimaçant à chaque coup encaissé par sa mère qu'il aimait tant! Il aurait voulu intervenir et l'avait déjà fait, d'ailleurs. Mais c'était une erreur qu'il ne répéterait jamais, car il savait maintenant que son père devenait complètement fou quand il était dans cet état. S'il avait eu le malheur de l'affronter, cela aurait attiser la violence chez cette brute inconsciente.

C'en était beaucoup trop pour Patrice. Il devait maintenant s'accorder quelques minutes de répit pour reprendre ses esprits. Il avait tellement lutté durant sa jeunesse pour enterrer au fur et à mesure ces affreux souvenirs, car le seul fait de les sentir remonter à la surface suffisait à le bouleverser complètement. Même si on lui avait fait la preuve que tout dans la vie avait sa raison d'être et que chaque être humain avait, au fond de lui, une étincelle divine, il ne parvenait pas, même en y mettant la meilleure volonté du monde, à retrouver la présence de la moindre parcelle de lumière dans cet être sans scrupules. «Non, se répétait-il, Dieu ne peut sûrement pas être présent chez un homme aussi méchant!»

Il était bien loin de se douter alors qu'une explication allait bientôt lui être proposée, qui risquait d'être bien surprenante.

Patrice vit sa mère se glisser péniblement hors du lit où son mari l'avait étendue quelques minutes plus tôt. À ses côtés, l'ivrogne dormait d'un sommeil qui, elle l'espérait, serait le plus long possible. Elle réussit, non sans peine, à se rendre à la salle de bain où elle s'aspergea la figure à l'aide de ses pauvres mains décharnées et pansa tant bien que mal ses blessures. Cette pénible scène se répétait souvent et depuis trop d'années. Chaque fois, elle avait pardonné, espérant, comme elle le disait alors, que son mari changerait un jour. Peine perdue! Les choses allaient de mal en pis.

Déchiré par ces colères affreuses, Patrice ne voulait plus être le témoin de ce drame. Poussant un grand cri, il exprima avec force son désir de voir ce visionnement se terminer une fois pour toutes. Il ne voulait qu'une chose: tourner la page pour toujours et oublier. Oublier, c'était la solution la plus facile. Trop facile, justement! Il avait beau fermer les yeux, l'action continuait de se dérouler derrière ses paupières closes. Il ne put y échapper. Il n'en avait probablement pas encore assez vu pour pouvoir comprendre et... pardonner.

Le film remonta alors dans le temps. Sa mère sortait de l'église au bras de son homme, heureuse et fière d'avoir trouvé un mari. Elle pourrait, elle aussi, fonder une famille nombreuse, comme ses parents et ses grands-parents l'avaient fait avant elle. Elle semblait filer le grand amour, celui dont elle avait tant rêvé. Elle savait pourtant que son Albert montrait quelque penchant pour l'alcool et qu'il devenait parfois un peu violent lorsqu'il en abusait, mais tout cela changerait avec le temps, elle en était sûre.

Déchiré entre le désir de savoir et celui d'oublier, Patrice fut alors le témoin des premières années de vie commune de ses parents, des années particulièrement heureuses qui défilèrent à l'écran à une vitesse vertigineuse. Puis, comme si l'attention du spectateur devait se fixer sur ce qui allait se passer, le film reprit soudain sa vitesse normale.

Une nuit, la brute rentra à la maison après une soirée de beuverie avec des amis. Sans crier gare, il se rua sauvagement sur sa femme, la traîna jusqu'au lit, puis il la déshabilla rudement et sans égards, la traitant comme s'il s'agissait d'une traînée. Germaine se mit à crier: «Non, non, pas ça! Je t'en supplie, Albert, non!» Mais ses cris se perdirent dans la nuit comme la plainte du vent, sans que personne ne puisse les entendre. Mû par ses bas instincts, l'ignoble individu la viola sans plus de manière, son objectif n'étant que de soulager ses besoins sexuels. Puis, repu, il se laissa choir sur le dos et s'endormit lourdement en râlant comme une bête épuisée. La pauvre Germaine, humiliée par la façon dont son mari l'avait traitée, ne put retenir ses larmes. Elle pleura longtemps, puis, aux petites heures du matin, anéantie, elle sombra dans un sommeil sans rêves.

Pendant toute cette scène horrible, Patrice avait su garder la tête froide, car il avait remarqué, juste au-dessus du lit où s'était déroulé ce drame, une petite boule d'énergie pure, très brillante et légèrement bleutée. Il n'y avait pas de doute: cette énergie, c'était la sienne! Il venait d'être le témoin de sa propre conception. Ce fut un choc terrible, mais aussi une épreuve étrangement enrichissante. Cette petite masse d'énergie ne paraissait nullement affectée par ce qui venait de se passer, considérant cela comme une simple pièce de théâtre dont elle semblait étrangement connaître le dénouement. Cela était tellement déroutant! Pourquoi cette petite âme n'avait-elle pas fui pendant qu'il en était encore temps? Cette interrogation résonnait dans la tête de Patrice comme marteau sur enclume quand soudain, une présence apaisante se fit sentir.

— Parce que tu l'as choisi et que tout devait se passer ainsi, mon petit! entendit-il alors.

Patrice se tourna brusquement en direction de cette voix familière qui venait l'arracher à son horrible cauchemar. Il reconnut alors sa propre mère. Celle-ci arborait le même sourire qu'elle lui avait servi lors de la fête organisée à l'occasion de son arrivée dans l'autre monde.

— Maman! laissa échapper Patrice, en sanglotant comme un enfant qui retrouve sa mère après s'être perdu dans une foule d'inconnus, c'est toi qui as dit cela?

— Bien sûr, qui veux-tu que ce soit? répondit-elle avec enjouement. Est-ce qu'il y a d'autres personnes ici?

Et Germaine regarda tout autour, feignant de chercher quelqu'un. L'atmosphère se détendit.

«Je viens de rencontrer un de tes vieux amis. Il m'a dit que tu avais peut-être besoin de moi en ce moment car tu te sentais incapable de franchir l'ultime étape de ce processus merveilleux qui s'appelle le pardon et que tu expérimentes déjà depuis quelque temps.

Ces paroles mirent Patrice hors de lui:

— Merveilleuse expérience, en effet! Je voudrais bien t'y voir! Tu oses me dire ça après tout ce à quoi j'ai assisté? Je viens tout juste d'apprendre que je suis la conséquence déplorable d'un viol dégradant, dont j'ai été le témoin d'ailleurs, et que mes propres parents ne m'ont jamais désiré. Et tu voudrais que je reste là, béatement, à louer Dieu pour sa justice et sa bonté, en le remerciant de cette «merveilleuse expérience» qu'Il m'a permis de vivre?

— Effectivement, rétorqua la dame non sans une pointe d'humour, son arme favorite dans les cas... désespérés. Ne saute pas trop vite aux conclusions, mon fils. Regardons ensemble ce qui s'est réellement passé la nuit où tu as été conçu. Tu pourras alors porter un jugement beaucoup plus éclairé sur toute l'affaire. Qui sait? Ta mère a peut-être un dernier rôle à jouer auprès de son fils qu'elle aime tant. C'est toujours flatteur de sentir qu'on peut encore être utile à quelqu'un, ajouta-t-elle à voix basse.

Patrice se sentait maintenant beaucoup plus détendu, probablement à cause de la présence de sa mère, cette femme qui, pour lui, avait toujours été l'incarnation véritable de l'amour. La scène de viol se déroula à nouveau devant lui mais cette fois, le parti pris fit place à la neutralité. Patrice put percevoir chaque pensée de ses parents, ce qui lui permit de mieux analyser la situation.

Pour la première fois, il put se rendre compte de la profonde détresse qui accablait son père en cette période de sa vie. Le désarroi et la confusion de cet homme étaient tels qu'il ne pouvait les exprimer autrement que par des crises d'agressivité, ces cris désespérés d'appel à l'aide. Incapable de se dominer, Albert laissa exploser toutes les émotions refoulées à l'intérieur de chacune de ses cellules. Son état d'ébriété joint à sa vulnérabilité ouvrit toutes grandes les portes aux pensées de violence qui habitaient l'univers entier, et ce fut alors un déchaînement indescriptible de forces brutales.

Grâce à la sagesse récemment acquise, Patrice put toucher à une autre dimension de l'être. Il comprit alors nettement que son père semblait «possédé» par ces énergies négatives qu'il avait attirées vers lui, ce qui se traduisait par une perte complète de maîtrise et qui aboutit à l'horrible viol dont il fut le témoin. Avant de pénétrer dans la maison, son père n'avait pas prémédité de battre et de violer sa femme, mais il avait été poussé à le faire à cause de sa nature vile et des pensées négatives qu'il attirait comme l'aimant attire les limailles de fer.

Albert était le résultat du refoulement et de la négation de ses émotions. Cet homme dominateur a un jour «pris possession» d'une femme qui avait en quelque sorte accepté de devenir l'esclave, pour le meilleur, et trop souvent pour le pire. Patrice comprenait très bien cette relation dominant-dominé, l'ayant lui-même expérimentée. En regardant agir son père, il reconnaissait ce modèle qu'il avait reproduit dans ses relations avec le sexe opposé. Sur ce point, il n'était guère différent de lui, dut-il admettre avec humilité. Par contre, il avait réussi à éviter la violence, n'ayant jamais osé lever la main sur Marie, quoiqu'il en eut souvent l'envie. Mais cette agressivité refoulée finit toujours par se retourner contre soi, sous forme de violence.

La scène du viol fut projetée une dernière fois et Patrice intégra momentanément le corps de son père. Il put alors sentir le vide qui habitait ce cœur malade.

Aucun respect, aucune compassion pour qui que ce soit. Seulement le désir brutal et violent de soulager ses bas instincts. Convaincu de sa suprématie, Albert n'avait jamais admis la complémentarité de la seconde partie de l'humanité, la femme. On ne lui avait jamais dit que celle-ci avait aussi des désirs à combler, qu'elle était un être humain à part entière, dans une société où hommes et femmes tiennent chacun un rôle différent, mais connexe.

Il fallait que Patrice «devienne» son père pendant quelques secondes pour qu'il puisse comprendre sa totale ignorance des besoins fondamentaux de son épouse ainsi que le profond dégoût de lui-même qui s'était installé en lui avec le temps et qui se manifestait par ces imprévisibles et inexcusables accès de violence.

Voyant la douce lumière de la compréhension envelopper graduellement l'âme de son fils, Germaine s'approcha de lui et posa une main compatissante sur son épaule.

— Voilà ce qui arrive quand on se ferme aux autres, mon enfant. Tu sais, la société du temps avait stéréotypé les rôles de l'époux et de l'épouse. Un homme ça n'avait pas le droit de pleurer, encore moins d'exprimer ses sentiments. Très tôt, au seuil de son adolescence en fait, Albert commença à prendre un peu trop au sérieux son rôle d'adulte et il refoula en lui toutes ses émotions refusant, par le fait même, de reconnaître son côté féminin intuitif, qui tentait malgré tout de percer.

»Pour trouver un exutoire au volcan qui sommeillait en lui, Albert se grisa de l'artificielle sensation de liberté que lui procurait l'alcool. Lorsqu'il était saoul, il pouvait enfin se permettre d'être lui-même. Quand il était sobre, il ne pouvait tenir une conversation avec toi pendant plus de dix secondes, tu te rappelles? Cet homme apparemment imperturbable craignait par-dessus tout qu'avec ta pureté d'enfant, tu ne le démasques et que tu ne perces la carapace qu'il avait mis tant de temps à se fabriquer. Mais l'alcool ouvrait des failles dans son armure, laissant ses émotions à nu. Parfois même elles explosaient malgré lui et sans qu'il puisse en arrêter le flot.

»Ce n'est pas pour l'excuser que je te raconte cela, je l'ai déjà fait tant de fois. C'est plutôt pour que tu prennes conscience des raisons qui poussent actuellement tant d'hommes à une violence dont ils ignorent souvent la provenance. La majorité d'entre eux n'ont jamais appris à s'exprimer, à dévoiler leurs sentiments profonds. D'ailleurs, soupira Germaine en souriant malicieusement, cette attitude se reflète dans la plupart de leurs relations. Hormis le sport et leurs supposées prouesses amoureuses, il n'y a souvent pas grand-chose qui meuble les conversations masculines.

Et Patrice de s'esclaffer en opinant de la tête.

«Les hommes, poursuivit Germaine, doivent apprendre à se connaître de l'intérieur, à s'exprimer. Ils n'ont plus le choix maintenant. Le monde qu'ils ont bâti en prenant bien soin d'en exclure la femme pour tout ce qui avait trait à la politique, à la religion, est en train de s'écrouler lamentablement, tu en conviendras. Crois-moi, seul l'homme qui aura l'humilité d'accepter qu'il ne constitue qu'une simple moitié de l'humanité, qui osera admettre le rôle primordial de la femme, aura une chance de survivre et de s'élever en cette nouvelle ère qui s'amorce sur le plan terrestre.»

Patrice était suspendu aux lèvres de sa mère. Cette femme soumise, qui ne se serait jamais permis de contrarier son époux par peur de représailles sévères, s'exprimait maintenant avec verve et détermination, ce que Patrice n'aurait jamais pu imaginer de sa part.

Devinant ses pensées, Germaine sentit le besoin d'expliquer à son fils les raisons fondamentales de ses agissements au cours de sa dernière incarnation.

— Mon passage sur la terre m'a fait vivre volontairement l'expérience d'une femme battue, bafouée dans son intimité, ce qui m'a permis de comprendre vraiment le sort réservé aux femmes victimes de violence. Forte de cette connaissance, je me prépare à faire très bientôt une nouvelle tentative de vie terrestre. Mais cette fois, je compte bien utiliser les outils que je me suis forgés entre temps, pour les mettre au service des personnes qui vivent le même cauchemar qui fut le mien durant toutes ces années. On ne peut vraiment aider quelqu'un que si l'on a préalablement vécu intensément ce qu'il vit lui-même.

»Quant à ma nouvelle façon de m'affirmer qui te surprend tellement, je dois te dire que je l'ai toujours possédée au fond de moi-même. Mais la femme que j'étais alors n'avait pas le courage de crier ses convictions, préférant les étouffer plutôt que de risquer de déplaire à son entourage. C'est d'ailleurs mon entêtement à me taire et à subir stoïquement la domination des autres qui a été l'origine de ce terrible cancer qui m'a frappée sans crier gare et m'a permis de quitter ce monde où je ne pouvais même plus respirer.

»J'étais rongée de l'intérieur par les frustrations accumulées, qui se sont communiquées petit à petit à tout mon corps. À force de les laisser prendre toute la place, elles y ont stagné, devenant virulentes et attaquant mes organes vitaux, avec la mort pour

137

conséquence. Si les gens savaient que la majorité de leurs maladies ont leur origine dans leur moi profond, dans le torrent de frustrations qui les envahit, ils géreraient mieux leurs émotions.»

Germaine se tut comme pour laisser son cri d'alarme porter aux confins de l'univers. Le silence s'installa entre elle et son fils, un silence rempli d'espoir pour ceux et celles qui sont las d'une vie dont ils ne comprennent pas la signification.

C'est maintenant elle, Germaine, la frêle jeune femme étendue sur le lit sous cet ogre en sueur, qui invita Patrice à venir partager ses pensées les plus intimes. Refoulant les cris de douleur qui lui montaient à la gorge, craignant ainsi d'attiser la colère de son homme, elle détecta déjà, très loin au fond d'elle-même, la présence de cet enfant dont elle avait si longtemps espéré la venue. Elle en avait déjà parlé à Albert, à quelques reprises, mais celui-ci avait rejeté sans ambages l'idée de faire une place à cet intrus.

«C'est déjà assez difficile de s'endurer tous les deux, avait-il tranché sèchement, que je n'ai pas du tout envie de voir un marmot entrer dans le décor et prendre toute la place. Je te veux à moi tout seul, est-ce clair?»

Le cas était réglé, on passait à autre chose! Voilà comment Albert solutionnait les problèmes. Pas surprenant que, plusieurs années plus tard, son fils ait pris l'habitude de se soustraire habilement aux contraintes de la vie de même qu'à ses respon-sabilités.

Patrice se laissa envahir encore plus pro-fondément par les pensées qui assaillaient sa mère en ce moment de désarroi. Celle-ci entendit sa petite voix intérieure lui dire que cette fois, son désir serait exaucé, même si les circonstances ne favorisaient pas la venue d'un enfant. Cette poussée d'intuition était si grande que, durant une fraction de seconde, elle aperçut au travers de ses larmes un nuage bleuté qui se balançait au-dessus de sa tête.

Elle sentit cet instant magique où s'opère le miracle de la conception. Patrice était émerveillé devant cet événement qui devait être le début de sa grande aventure terrestre.

«Tu vois, mon cher enfant, déclara Germaine, je t'ai désiré beaucoup plus que tu ne le croyais.»

Patrice se tenait là, l'air penaud, un peu honteux d'avoir pensé pendant si longtemps qu'il n'était pas désiré et que sa naissante était plutôt le fruit d'un malheureux hasard. Percevant son malaise, Germaine s'empressa d'ajouter:

«Bien avant ta conception, nous avons conclu une entente tous les trois, ton père, toi et moi. Cela se passait évidemment au-delà de la réalité physique, c'était au niveau de l'âme. Par ce pacte, nous acceptions tous les événements qui jalonneraient notre future vie terrestre, car nous avions des leçons à en tirer. Si tu pouvais scruter les multiples routes que tu as parcourues dans ton passé, tu constaterais que tu as souvent été un être très violent, et dans plus d'une vie. Ce n'est pas pour te culpabiliser que je te dis cela, mais plutôt pour que tu saches que c'était là ton cheminement. Tu agissais alors exactement comme ton père avec nous. Tu as molesté et violé des femmes.

»Dans la nouvelle vie que tu amorçais, tu voulais transcender à tout prix cette violence. C'est pourquoi tu as *choisi*, en toute connaissance de cause, ce père que tu as tant détesté. Et tu sais pourquoi il te dérangeait autant? Simplement parce que tu te reconnaissais en lui. Il était ton parfait miroir! L'image qu'il te retournait constamment était la tienne. Tu savais donc inconsciemment que l'homme qui battait ta mère dégageait les mêmes vibrations que les tiennes et cela te transperçait le cœur, car, d'une certaine façon, cela te forçait à porter un jugement sur toi-même. À l'aube de ta nouvelle incarnation, tu as donc décidé de plonger tête première dans ce climat de violence qui t'était si familier, en commençant par le moment de ta conception. Tu avais alors la ferme intention de tirer les bonnes leçons de tes expériences. L'une des seules façons de transcender une situation difficile, vois-tu, est souvent de s'en imprégner tellement qu'on ne se donne pas d'autre choix que d'en sortir à tout prix.»

En voyant Patrice acquiescer avec un large sourire, sa mère reprit de plus belle:

— Vois-tu, cher fils, il existe un lien qui unit tous les hommes. On a tous un rôle à jouer dans cette gigantesque pièce de théâtre qu'on appelle la vie et qui a pour scène la terre. Comprends-tu maintenant que lorsqu'on reprend sa *véritable* identité après avoir retrouvé sa *véritable* mission, on redevient tous des âmes à part entière, en route vers un but commun, la perfection? Ici, dans cet au-delà magnifique et parfait, rien ni personne n'est méchant. Aussitôt qu'une âme entre en contact avec les vibrations qui se dégagent de ce lieu, elle trouve réponse à toutes ses questions. Tout s'explique, tout se dédramatise. C'est avec la même simplicité que devrait se dérouler la vie sur terre mais l'intellect humain a tellement le don de tout compliquer.

— Oui, je comprends, répondit Patrice. Mais une question me brûle les lèvres, pourtant. Pourquoi ne nous souvenons-nous pas de notre véritable identité divine lorsque nous sommes sur la terre, pas plus que des vies que nous avons vécues auparavant? Ce serait tellement plus facile s'il en était ainsi!

Un petit sourire narquois fit danser sur la figure angélique de Germaine quelques rides à peine perceptibles.

— Ah! tu essaies de me piéger! lança-t-elle avec humour... Crois-tu sincèrement qu'en sachant que tu as jadis été méchant et violent comme ton père, cela aurait changé quelque chose à ton comportement? Laisse-moi en douter, car ton niveau de compréhension n'était pas très élevé alors. Dès ton jeune âge, je me rappelle, tu te culpabilisais à la moindre occasion.

»Combien de fois as-tu considéré que c'était de ta faute si telle ou telle chose désagréable arrivait à la maison? Tu m'as même révélé un jour que tu te sentais un peu responsable du fait que ton père me battait parce que tu croyais qu'il était jaloux de toi et de l'attention excessive que je te portais... Tu vois bien que ton niveau d'évolution ne te permettait pas, à ce moment-là, d'avoir accès aux secrets de tes vies passées. Si tu avais pris la peine de t'ouvrir à la spiritualité et au véritable sens de la vie, tu aurais vite fait de découvrir un peu plus tard la véritable raison de tes *malheurs*. Il t'aurait simplement suffi d'avoir la volonté de comprendre et d'agir pour qu'un rêve, un livre ou une personne soit mis sur ta route pour t'éclairer.

» Le fait de connaître ton passé ne t'aurait aidé en rien. Pense à l'acteur qui, pour jouer son rôle de la façon la plus parfaite possible, doit oublier complètement sa propre identité pour entrer complètement dans la peau de son personnage. De la même façon, quand l'âme endosse ses vêtements de théâtre pour descendre sur la scène de la vie terrestre, la mémoire de ses identités précédentes est temporairement effacée, ainsi que les rôles qu'elle a tenus, et ce, dans un seul et unique but, celui de vivre intensément le moment présent, le *ici maintenant*.»

Patrice ne put nier la logique de cette explication mais il voulut plus de précisions:

— Et papa, lui, quel était son rôle alors? A-t-il tiré des leçons de son attitude à notre égard, lui qui se trouve encore quelque part sur terre, je ne sais où? A-t-il raté sa vie? Est-il resté au même point?

— Tu veux vraiment le savoir? lui demanda sa mère.

— C'est crucial, au stade où j'en suis rendu.

Prenant son fils par la main, Germaine lui recommanda de la tenir bien fort, car ils allaient entreprendre un long voyage. Ils retourneraient ensemble sur la terre afin de retrouver cet homme qui avait été si longtemps au centre de leur drame.

Chapitre 11

ENVOLÉE VERS LE PRÉSENT

Les deux voyageurs s'envolèrent dans l'espace infini, propulsés et guidés par la seule force de la pensée de Germaine. Tout devient si facile quand l'âme est purifiée et libérée des attaches de l'*ego*. La pensée se projette alors sur les plans visés et devient réalité. Au cours de sa nouvelle vie dans l'au-delà, Germaine avait rapidement compris qu'il lui suffisait d'imaginer un lieu pour s'y retrouver immédiatement. Aussi, quand elle voulut retourner vers Albert, elle n'eut qu'à se concentrer sur lui et le tour était joué. Ce chemin qui s'ouvrait devant ses yeux ébahis, elle le connaissait parfaitement, pour l'avoir parcouru des milliers de fois depuis son départ de la terre.

Quelques minutes d'adaptation s'avérèrent cependant nécessaires pour Patrice afin qu'il accepte de quitter momentanément ce lieu auquel il commençait drôlement à s'attacher. Sa mère dut même le rassurer à maintes reprises, l'invitant à s'abandonner complètement. Elle lui fit comprendre que l'univers qui était maintenant le leur était régi par une force divine et qu'il baignait dans une harmonie aucunement perturbée par ses habitants. Patrice comprit finalement que le seul moyen d'avancer est de laisser agir les forces de la vie. Le voyage put donc commencer.

Patrice et sa mère se mouvaient dans un univers infini, d'une beauté extraordinaire. L'espace n'y avait pas plus d'importance que le temps. Une énergie provenant de cet environnement les propulsait avec une douceur extrême dans cette immensité. Ils eurent l'impression de parcourir des milliers de kilomètres en une seule seconde.

Soudain, les vibrations qu'ils sentaient autour d'eux semblaient diminuer d'intensité. Plus ils descendaient, plus l'atmosphère devenait dense. Patrice comprit alors qu'ils traversaient les différentes couches vibratoires menant au plan terrestre. Ces couches devenaient de plus en plus lourdes et opaques.

Patrice aurait préféré se retrouver en terrain connu, dans ce tunnel qu'il avait traversé avec Éleutra, en route vers la lumière. Mais il n'avait pas à emprunter le même chemin, car ce tunnel ne servait qu'à la purification et à la préparation des âmes de même qu'à l'élévation graduelle de leurs vibrations.

Dans un très court laps de temps, Patrice et sa mère passaient de l'au-delà lumineux aux régions ténébreuses de la terre. Malgré tout, leur corps de lumière s'adaptait assez facilement à ce nouvel environnement. Les deux voyageurs se retrouvaient au pied d'un vétuste lit d'hôpital sur lequel gisait le corps décharné d'un homme ravagé par de nombreuses années de décrépitude. Aucune apparence de vie dans cette forme immobile. Patrice arriva tout de même à reconnaître ce mort vivant. C'était Albert, son propre père. Où était donc passé ce colosse imbu de lui-même, cet imperturbable costaud prêt à s'attaquer à tout ce qui aurait osé se mettre en travers de son chemin? Le monstre d'antan semblait maintenant tout à fait anéanti. Il était prisonnier de sa propre vie, à la merci de ce souffle qui s'entêtait à ne pas vouloir quitter ce corps défait, cette carapace humaine qui semblait avoir été oubliée là par son créateur, astreinte à végéter éternellement entre deux mondes!

Comme pour ramener tout le monde à la triste réalité, une infirmière entra d'un pas lourd dans la chambre. Elle s'avança vers le lit avec un air de dédain, qu'elle ne tenta d'ailleurs aucunement de dissimuler. Du bout des doigts, elle souleva les couvertures et, sans respect apparent pour la loque humaine qu'elle avait sous les yeux, elle enfonça d'un trait une longue aiguille dans la chair flasque et en injecta le contenu dans le membre du malade.

L'homme ne réagit pas. Il avait appris depuis longtemps à se considérer comme un vulgaire morceau de chair qu'on tente malgré tout de garder en vie, un corps infect dénué d'âme, un être sans aucune appartenance, même divine.

L'injection faite, l'infirmière revint avec le même dégoût à côté de cette masse inerte. Elle examina les draps du coin de l'œil pour voir s'ils n'étaient pas trop souillés et replaça finalement le tout comme elle l'avait trouvé. Puis, elle tourna les talons sans un mot de compassion, sans le moindre sourire ni la moindre parole de réconfort et elle quitta cette chambre dont même la mort n'osait franchir le seuil.

À quelques pas du malheureux, les deux visiteurs de l'au-delà assistaient, impuissants, à la pénible scène captant au vol les pensées de la jeune femme. «Pas de pitié pour ce légume! S'il pouvait donc mourir, cet abruti! Ça nous rendrait tellement service! Mais pourquoi donc s'accroche-t-il à la vie depuis huit longues années? Si, au moins, il avait sa conscience. Mais non, il ne sait même pas qu'il est vivant.»

Comme elle se trompait! Si elle avait su tout le chemin qu'avait parcouru cette âme durant ces huit ans de détresse...

Albert subissait son traitement jusqu'au plus profond de ses tripes. Chaque jour voyait se répéter pour lui le même manège, à la même heure, de la même façon et avec le même dédain, et ce, quelle que fût l'infirmière de garde. Cet homme était tout simplement de trop dans cet hôpital. Et, pour gâter la sauce, il employait ses quelques moments de lucidité à maugréer et à lancer des jurons, critiquant les soins qu'on lui donnait, envoyant au diable sa famille et ses amis, qui l'avaient depuis longtemps abandonné. Le langage obscène qu'il utilisait, conjugué avec les violentes réactions qu'il manifestait face à tout ce qui l'entourait eurent tôt fait de créer un grand vide autour de lui. Pourtant, Albert pleurait souvent, des larmes d'appel au secours que personne n'entendait.

Troublé par cette nouvelle lucidité qu'il avait acquise depuis son séjour dans la chambre du pardon, Patrice n'avait plus aucun doute: la justice divine était présente, même en ce lieu de désolation. Rien de ce qui se passe n'est le fruit du hasard. Son père n'avait pas été oublié là par la vie.

Tournant son regard vers sa mère demeurée silencieuse durant tout ce temps, Patrice demanda:

— Est-ce qu'on peut faire quelque chose pour l'aider à s'en sortir?

Avec un sourire compatissant, Germaine inclina la tête en signe d'affirmation, puis elle dit:

— Son corps est endormi depuis longtemps, mais, crois-moi, son âme est en train d'évoluer à une vitesse folle. À première vue, Albert ne semble pas progresser, si l'on considère l'état lamentable de son corps physique. Il est donc compréhensible que son entourage espère sa disparition. Mais personne ne peut savoir ce qui se passe en lui! Si cet être n'évoluait pas, sois assuré qu'il serait mort depuis longtemps.

»Regarde bien. Tu vois cette forme lumineuse qui flotte au-dessus de son corps physique et qui y est rattachée par ce cordon de couleur argent? C'est son âme qui assiste à tout ce qui se déroule au-dessous. Seconde après seconde, jour après jour, elle capte ses émotions. Chaque regard, chaque geste, chaque manifestation de dégoût, tout est ressenti profondément et intensément dans chacune des cellules de son corps. Son âme les emmagasine pour pouvoir mieux les transcender et pour les utiliser à son avantage lors d'une incarnation future.

— Tu veux dire que papa a vraiment perçu tout à l'heure l'attitude méprisante de l'infirmière, de même que les vibrations négatives qui se dégageaient d'elle?

— C'est exactement cela! s'exclama Germaine heureuse de constater la nouvelle ouverture d'esprit que son fils avait acquise en si peu de temps.

— Mais pourquoi est-il resté cloué sur ce lit durant toutes ces années à attendre les flèches empoisonnées qu'on lui décochaient? Pourquoi n'a-t-il pas coupé le cordon d'argent qui le reliait à la vie pour se libérer enfin de ce corps et monter plus haut, comme nous l'avons fait tous les deux?

— Avant de venir vivre sur le plan terrestre, expliqua Germaine, ton père avait choisi de vaincre cette violence qu'il traînait dans ses bagages depuis des siècles, pour pouvoir s'en libérer à tout jamais. Il avait fait le vœu de n'aller rejoindre son esprit que lorsque son âme se serait complètement acquittée de sa tâche. Évidemment, il avait alors bon espoir d'arriver à ses fins, rapidement et sans heurts. Mais l'immensité du travail à accomplir de même que son mauvais caractère lui firent pressentir que cela ne se passerait peut-être pas aussi facilement qu'il l'aurait voulu et qu'il lui faudrait faire des choix.

»Dès qu'il eut atteint l'âge adulte, il s'attira de nombreux problèmes à cause, évidemment, de sa propension à la violence. Normalement, cela aurait dû l'inciter à réfléchir, à comprendre qu'il était dans son intérêt d'accepter sa vulnérabilité et d'apprendre à exprimer ses émotions. Hélas, tel ne fut pas le cas. Au contraire, son cœur se durcissait de plus en plus. Enlisé dans son ignorance, il continua à boire et à se refermer sur lui-même, indifférent à ses propres sentiments comme à ceux des autres. C'est alors que survint cet événement fatal qui devait le laisser complètement paralysé et totalement dépendant des autres.

»Ce fut un dur coup pour son *ego*. Après toutes ces années passées à ne satisfaire que ses propres besoins, voilà que le sablier se retournait. Albert n'était désormais plus maître de sa vie. Il était condamné à vivre dans la solitude la plus complète, mise à part la présence très sporadique de quelques connaissances, qui venaient le voir beaucoup plus par curiosité que par compassion. Albert était devenu le contraire de ce qu'il avait toujours été. Sans crier gare, le lion s'était transformé en mouton. L'indépendance orgueilleuse avait fait place à la dépendance humiliante et absolue.»

Patrice ne put s'empêcher d'établir un lien avec ce qu'il avait vécu. La rancœur qu'il entretenait depuis si longtemps envers son père s'estompa peu à peu, remplacée par la compassion. Germaine poursuivit son récit:

— Cloué sur son lit de douleur, ton père en arriva à dresser le bilan de sa vie. Le silence qui l'entourait constituait une atmosphère propice à une recherche approfondie sur lui-même. Il prit alors conscience qu'il n'avait jamais versé une seule larme, qu'il n'avait jamais témoigné non plus, d'une façon ou d'une autre, son affection envers ses proches.

»Pour la première fois de sa vie, Albert se permit de pleurer, et ce fut toute une révélation pour lui. Cela dura sept longues journées. Durant tout ce temps, j'étais là à le soutenir comme je le fais maintenant, à lui souffler subtilement des mots d'encouragement à l'oreille. Mais tu sais comme ton père a la tête dure! Il n'a jamais vraiment admis ma présence, quoique son âme m'accueillait chaque fois. Cela m'importait peu d'ailleurs. Je l'aimais quand même assez pour lui procurer ce dernier réconfort.

»Il pleura donc toutes les émotions qu'il avait retenues prisonnières durant ses soixante-douze années de vie. Puis, l'orage se calma, lui laissant un répit pour pouvoir reposer désormais en toute sérénité. Chaque fois qu'un être lui montrait un semblant de compassion ou de bonté, cela était très rare, ses yeux s'embuaient. Mais c'étaient des larmes de bonheur.

»Cependant, il n'arrivait pas à extraire le trésor qui était enfoui en lui et qui ne demandait qu'à ressurgir. Si on lui montrait de la violence, il répondait de la même façon. Son agressivité se manifestait par l'utilisation d'un langage grossier, le seul moyen qu'il lui restait pour crier au monde sa détresse et son besoin d'attention. Puis, progressivement, il perdit de sa lucidité, jusqu'à se retrouver dans l'état où tu le vois actuellement.

»Après huit ans de cheminement, ton père continue à évoluer intérieurement et à tirer profit de chacune des journées qu'il lui est permis de vivre. Son âme progresse à pas de géant sur la route de l'évolution, de cela, tu peux être sûr, même si ce n'est pas évident pour le commun des mortels. Rien n'est jamais vécu en vain, souviens-t-en.

»Chaque grand malade, quel que soit son état de conscience, se meut à sa façon dans le grand fleuve de l'existence. Si les êtres qui habitent le plan terrestre pouvaient regarder plus loin que le bout de leur nez, peut-être pourraient-ils donner une ultime chance à ces guerriers solitaires qui mènent leur dernière bataille dans la froideur d'une chambre d'hôpital... C'est à l'âme qu'il faut s'adresser quand le corps a décroché de la réalité, et non à la masse de chair qui lui sert de véhicule et qui est si souvent ballottée par les émotions.»

Germaine jeta un regard furtif vers son fils, dont la physionomie avait complètement changé depuis son arrivée en ce lieu. À son grand plaisir, elle remarqua qu'il avait bien accepté la situation et qu'il manifestait maintenant une compassion sans borne pour ce vieillard qui avait dû accepter de passer si brusquement de l'état de bourreau à celui de victime, du rôle du chasseur à celui de la petite biche sans défense.

— Est-ce à dire, intervint Patrice, que papa devait absolument expérimenter ces deux situations extrêmes pour comprendre le message qui s'y cachait?

— Bien sûr que non, répondit aussitôt Germaine. Certaines personnes ont plus de facilité à assimiler leur lot de vérité tandis que d'autres, à cause du bagage qu'elles transportent et de leur niveau d'évolution, ont besoin d'aller jusqu'au bout de leur démarche. C'est ce qui arrive à ton père actuellement. Quand il quittera ce plan, quand le cycle qu'il a accepté de parcourir sera complètement révolu, la bête féroce qu'il fut jadis sera transformée en un petit oiseau libre de s'envoler vers d'autres cieux. Il aura compris l'importance du respect des autres et, par conséquent, de soi-même. Et, qui sait, à son prochain séjour sur la terre, il choisira peut-être une vie où il aura à se consacrer au service des autres pour poursuivre son évolution. Une chose est sûre, cependant, c'est qu'il n'aura pas à revivre la violence, car il la transcende maintenant, et totalement. Fais-lui confiance, il sait très bien où il va!»

Les minutes qui suivent ces paroles furent remplies d'éternité. Germaine observa Patrice rassembler les derniers morceaux du puzzle, laissant aller à la dérive l'ultime ressentiment qui cherchait à refaire surface.

La vieille dame assista à ce miracle avec la sagesse d'une âme mue par l'amour véritable, une âme désintéressée, sans aucune attente. Quand Patrice eut tout assimilé, il se tourna vers sa mère et brisa le silence quasi religieux qui s'était installé dans la chambre:

— Est-ce que papa peut nous voir et nous entendre? Est-ce qu'il peut sentir notre présence d'une quelconque façon? Il semble si loin de tout ça!

151

— Oui, son âme le peut, mais pas encore son *ego*, sa personnalité si tu préfères. Ton père a toujours refusé d'admettre l'existence d'un univers autre que physique. Ses préjugés l'ont toujours tenu à l'écart de tout ce qui n'était pas rationnel. À ma connaissance, il n'a jamais cru à l'existence de l'âme, à la vie après la mort, à toute forme de continuité dans l'au-delà... Pour lui, après le trépas, c'était le trou! Dans le temps, beaucoup d'hommes utilisaient d'ailleurs ce terme pour contourner le problème. Ils évitaient ainsi de s'engager dans un sujet tabou dont on leur avait toujours interdit l'accès et où ils auraient peut-être eu à faire face à une autre réalité. C'est pourquoi Albert refuse pour le moment toute espèce d'intervention spirituelle, quoique son âme capte pleinement l'amour que nous éprouvons maintenant pour lui, et c'est ce qui importe. De plus, les points de vue que nous avons échangés ici l'aideront énormément lors de sa libération qui est imminente. Quant à son *ego*, il sent également notre présence mais il la perçoit comme si c'était un simple rêve. Ce n'est que par la répétition de ces songes qu'il prendra conscience de la réalité de nos interventions.

»C'est pourquoi j'ai accepté, après mon départ de la terre, quand j'en ai eu la force et le désir profond et quand aussi mon pardon fut complet, de revenir ici chaque jour comme je le fais présentement, pour assister ton père et lui insuffler quelques bribes de vérité à l'oreille. Je sais qu'un jour ces messages d'amour et de vie atteindront leur destinataire. Tu peux décider d'en faire autant, à la fréquence et de la façon que tu le désires. Cela te permettrait de faire grandir ton amour, en n'attendant rien en retour. J'ai fait mon choix depuis longtemps et j'en ai retiré tellement de bien!

— Crois-tu qu'il lui reste beaucoup de temps à vivre?

— Cela dépendra vraiment de lui, ou plutôt de son esprit qui, de là-haut, l'assiste et le guide. Quand tout sera consommé, quand la boucle sera bouclée, le cordon d'argent qui le retient à la vie se desséchera de lui-même et l'âme sera alors libérée, prête à entreprendre le même voyage que nous avons fait vers la lumière. C'est alors que nos interventions prendront toute leur importance, car ayant toujours cru que la mort était la fin de tout, Albert se retrouvera automatiquement avec les âmes qui partagent ses idées. Il sera là à errer dans le noir, sans but, dans un endroit sans issue.

»Mais un jour, une parole, une pensée enfouie dans son inconscient refera surface et lui ouvrira toutes grandes les portes du ciel. Il s'agira peut-être d'une allusion concernant l'après-vie qui lui fera remettre en question ses croyances à ce sujet. Cette remise en question pourra en entraîner d'autres, plus subtiles, jusqu'à ce que, finalement, il n'ait d'autre choix que de demander de l'aide. Ce qui lui sera aussitôt accordé.

»Sa destinée est entre ses mains, ne l'oublie jamais. Rien ni personne ne peut le tirer de son ignorance tant qu'il n'en aura pas lui-même exprimé le désir. C'est pourquoi je reviens ici jour après jour pour alimenter ses rêves et ses pensées de cette connaissance que j'ai acquise dans l'au-delà. Par amour, je l'en imprègne petit à petit.»

Patrice était complètement ébloui par l'attitude de cette mère à qui il vouait une admiration sans borne.

— Mais où as-tu puisé toute cette sagesse lui demanda-t-il. D'aussi loin que je me souvienne, je ne me rappelle pas que tu aies jamais fait allusion à quelque connaissance que ce soit dans ce domaine. Tu semblais même plutôt partager le scepticisme de papa à ce sujet, pas vrai?

— Tu as parfaitement raison. En ce temps-là, je jouais le rôle de l'épouse soumise, et mes convictions personnelles devaient s'apparenter à celles de mon mari... C'était la mode! D'ailleurs, je n'aurais jamais osé faire part à ton père de ce que je ressentais comme étant la vérité. Ce n'est qu'après mon départ de la terre que j'ai pu redécouvrir en moi ce désir impérieux d'apprendre que j'avais refoulé durant mes années de servitude. Libérée de ce joug qui m'écrasait, j'avais enfin le loisir d'étudier à ma guise toute ce qui me plaisait, entre autres le véritable sens de l'existence humaine.

»Tu sais, cher fils, il existe dans l'au-delà des endroits où l'on peut puiser à satiété toutes les connaissances que l'on désire acquérir. Ce sont des universités de l'âme, des bibliothèques universelles. Certaines âmes n'y ont encore jamais eu accès, n'en ayant jamais exprimé le désir. Par contre, d'autres y sont conduites immédiatement après leur passage dans la "chambre du pardon".

»Dans ces temples de la connaissance, on peut nous montrer le fonctionnement détaillé de l'univers, de la façon la plus simple qu'il soit possible d'imaginer, car tout y est présenté selon le niveau de compréhension de chacun. Ainsi, la sagesse peut y être acquise en très peu de temps, mais au niveau théorique seulement, si je peux m'exprimer ainsi. En effet, tous les trésors que l'on peut y trouver ne peuvent mener à l'élévation ultime que s'ils sont suffisamment expérimentés dans un corps physique. L'assimilation et l'expérimentation sont les éléments de base dans la course à la perfection.

»C'est, entre autres, grâce à mon passage dans ces temples du savoir que j'ai pu découvrir les liens qui existaient entre les événements et les êtres. Tu es toi-même en train de le faire actuellement, mais avec beaucoup plus de facilité que moi. Après tout, je t'ai peut-être évité quelques années de recherche, même quelques vies, sait-on jamais. Mais je crois qu'il est maintenant grand temps de retourner à la... Maison, n'est-ce pas? Ne sens-tu pas que nos vibrations ont une fréquence très basse?

»Il est important, lorsqu'on se trouve sur ce plan, de se laisser guider par nos sensations. Quand nous percevons à l'intérieur de nous qu'il nous faut retourner là-haut, il ne faut jamais résister. Sinon, notre essence peut en être fortement affaiblie et le retour au bercail serait rendu très pénible.

»Tu pourras dorénavant revenir ici à ta guise; une pensée suffira pour t'y projeter. Un guide t'accompagnera au début, pour éviter que tu ne t'égares dans un plan qui ne correspond plus à tes vibrations. Il te fera également savoir quand sera venu le temps de t'en retourner. Plus tard, tu pourras diriger toi-même les sorties que tu effectueras sur le plan terrestre.»

D'un signe de tête, Patrice indiqua à sa mère qu'il avait bien compris l'importance de ses paroles. Une désagréable lourdeur pesa sur ses épaules et s'intensifiait de seconde en seconde. Néanmoins, réunissant toutes ses forces, il demanda le privilège de rester avec son père quelques minutes supplémentaires pour converser avec cet homme qu'il avait finalement appris à aimer.

S'approchant doucement du corps décharné, il lui glissa à l'oreille, d'une voix chargée d'émotion:

«Papa, c'est moi Patrice, ton fils unique. Est-ce que tu m'entends.»

Le corps jusque-là inerte du vieillard sembla sortir de sa léthargie, imprimant par ses soubresauts de vagues mouvements aux couvertures. Enfin, le contact était établi et Patrice continua:

«Je te demande d'être très attentif à ce que je vais te dire, papa. Je suis maintenant rendu dans l'au-delà, en compagnie de ta chère Germaine. Celle-ci vient d'ailleurs te visiter tous les jours depuis ton terrible accident. Elle est tout près de moi actuellement et elle t'embrasse tendrement. Apprends à la reconnaître. Accueille-la quand tu sentiras sa présence. Avec tout l'amour que j'ai pour toi, je t'exhorte à t'ouvrir à l'invisible, car il existe vraiment. Je le sais: j'y vis maintenant, moi qui n'y avais jamais cru. Et c'est merveilleux, crois-moi.

»Depuis que je suis à ton chevet, j'ai parcouru, avec l'aide de maman, les chemins tortueux de ton existence. Cela m'a permis de comprendre la souffrance qui fut la tienne tout au long de ta vie. En voyant le calvaire que tu avais vécu et que tu avais délibérément choisi, je suis resté ébahi par ton courage. Sache que je te pardonne de tout mon cœur, sincèrement et entièrement. Je suis enfin libéré du ressentiment que j'entretenais envers toi à cause de tout ce que tu m'avais fait subir sur ce bout de chemin que nous avons parcouru ensemble. Je reconnais que tu m'as ainsi permis de grandir.

Je te souhaite donc de te rendre le plus rapidement et le plus aisément possible au terme de cette route que tu parcours et je te supplie de t'ouvrir dès maintenant à la beauté qui t'attend. Quand tu décideras de lâcher prise, le ciel avec ses splendeurs s'ouvrira à toi. Nous t'accueillerons alors les bras ouverts, en t'offrant une intensité d'amour que tu n'as jamais connue. Je t'aime, papa, prends-en conscience en cet instant, et pour l'éternité.»

«Qu'il en soit ainsi», laissa échapper Germaine avec sa sérénité et sa candeur habituelle.

C'est alors que le miracle se produisit. La figure du vieil homme s'illumina, ses yeux s'entrouvrirent. Un sourire timide s'installa péniblement sur ce visage aigri qui ne montrait plus depuis longtemps le moindre signe de vie. Des larmes de délivrance s'échappaient de ses yeux et il se rendormit en paix, comme un enfant dans les bras de sa mère.

«Laissons-le, murmura Germaine à l'oreille de son fils. Ton père semble avoir vraiment compris cette fois. C'est merveilleux, le voyage n'aura pas été vain!»

L'appel vers le haut se faisant sentir de plus en plus intensément, ils s'abandonnèrent à nouveau et se laissèrent aspirer vers leur point de départ.

Chapitre 12

L'ULTIME RETOUR

Le retour des deux voyageurs fut beaucoup plus lent que l'aller, leur immersion dans les basses vibrations de la terre ayant quelque peu modifié l'état de leur corps de lumière. Ils durent donc, avant d'arriver à la nouvelle demeure, patienter quelque temps, histoire de se «recharger». Le seul contact avec ce monde astral perturbé par les tumultueuses émotions de ses habitants avait souvent pour effet de faire baisser dramatiquement le taux vibratoire des êtres qui y demeuraient trop longtemps.

Durant cette période de transition, Patrice se surprit à constater, et de façon très consciente cette fois, combien il lui était agréable de quitter le plan terrestre pour retourner dans cet au-delà, source d'amour et de compassion. Plus il s'élevait, plus le sentiment de pesanteur qui l'avait momentanément accablé disparaissait. Il put enfin goûter la véritable pureté; ce sentiment intense de candeur le pénétrait jusque dans son essence.

Bizarrement, ce féerique périple vers sa nouvelle libération lui sembla durer aussi bien une éternité qu'une seconde. Le temps dans l'au-delà prenait une tout autre dimension que sur terre. Si l'espace est infini, pourquoi le temps ne le serait-il pas, lui aussi? Aussitôt que les couches les plus denses de la terre sont traversées, la notion du temps s'évanouit.

Cette modification de la perception espace-temps, Patrice dut l'apprivoiser. Sur terre, le moment présent est tout bonnement précédé du passé et en attente du futur. Mais dans le plan vibratoire divin où il se trouvait plongé, Patrice avait l'étrange sensation que le présent, le passé et le futur ne formaient qu'un seul et unique bloc indissociable. Tout se passe en même temps, voilà la clef de l'énigme! Toutes les vies, passées, présentes et futures se déroulent ensemble, chacune s'imbriquant dans l'autre, peu importe l'ordre dans lequel elles ont été vécues.

Quoiqu'il ne pouvait encore le comprendre, tout ceci prenait un nouveau sens pour Patrice, son ouverture de conscience et de son intuition s'étant affinée. À présent, il ne se laissait plus distraire par les élucubrations de son corps mental, celui-ci n'ayant pratiquement plus d'emprise sur lui. Dans ce royaume du cœur, les doutes provenant du raisonnement intellectuel ne trouvaient plus preneur. Seules les sensations de bien-être, d'harmonie et de fusion avec l'environnement divin guidaient le voyageur.

Une fois rendus à bon port, Patrice et Germaine tombèrent dans les bras l'un de l'autre, car ils savaient que la séparation était imminente. Quelle longue route ils avaient parcourue ensemble! Peut-être même que grâce à leur intervention, le pauvre Albert pourrait terminer très bientôt son cycle terrestre, et avec une plus grande sérénité sans doute. Pendant qu'ils s'étreignirent, les deux corps de lumière se fusionnèrent pour un instant, puis ils se détachèrent, plus brillants et plus lumineux que jamais.

Après avoir embrassé sa mère une dernière fois, Patrice la regarda disparaître. Elle laissa derrière elle un petit nuage doré qui projetait ses étincelles dans toutes les directions, remplissant l'univers de ses vibrations d'amour et de sagesse. Patrice s'en imprégna consciencieusement, puis, avec une pointe de nostalgie, il revint seul dans cette pièce où son voyage intérieur avait commencé.

À sa grande surprise, le décor de la chambre du pardon avait complètement changé. Une lumière aveuglante et indescriptible en envahissait maintenant les moindres recoins, agrémentée d'une musique angélique émanant d'on ne sait où. Patrice n'avait jamais entendu des airs aussi beaux auparavant. On aurait dit que tout avait été purifié, remis en ordre pendant son absence. C'est comme si on avait fait le ménage. Soudain, une voix le fait sursauter:

«Entre, mon vieux, fais comme chez toi!»

Patrice reconnut la voix chaude de son copain Éric, qui se prélassait au centre de la pièce, souriant et détendu comme à son habitude.

«Viens t'asseoir, poursuivit-il, tu dois avoir des choses à me raconter, n'est-ce pas? Allez, je veux tout savoir sur cette aventure que tu viens de vivre avec ton père.»

Voyant la surprise de son ami, Éric s'empressa d'ajouter: «Comme tu peux le constater, je n'ai pas perdu mes vieilles habitudes et je me tiens toujours au courant de tes allées et venues, comme dans le bon vieux temps!» Les deux compères pouffèrent de rire.

Patrice se remettait lentement de ses émotions. Il faut dire qu'il s'attendait à se retrouver encore une fois devant le fameux écran de vérité. Et voilà qu'il se faisait accueillir par son meilleur ami, lequel, bien installé dans son sanctuaire, sur d'énormes coussins moelleux, n'avait d'autre préoccupation que de l'attendre. «Comme la vie peut être passionnante!» pensa-t-il.

La conversation s'engagea et Patrice présenta à son éternel complice un compte rendu détaillé de sa rencontre avec son père. Il lui expliqua comment il avait mal jugé cet être renfermé et malheureux dont le grand malaise intérieur n'avait trouvé que la violence comme exutoire. Comme pour prouver qu'il avait bien assimilé la leçon, Patrice mentionna toutes les prises de conscience qu'il avait faites pendant ce voyage. Il voulut ainsi se rassurer et vérifier la sincérité de son pardon.

Éric écouta avec attention le récit de son copain, en retirant lui aussi de profonds enseignements. Leur sort avait été si intimement lié depuis de nombreuses vies qu'ils pouvaient toujours profiter de leurs expériences mutuelles. Et cette complicité qui les unissait leur donna soudain le sentiment que l'avenir leur réservait une grande surprise!

À son tour, Éric prit la parole:

«J'ai, moi aussi, quelque chose à t'avouer. Depuis mon départ... forcé de la terre — Éric ne manquait aucune occasion de taquiner son ami —, j'ai effectué des centaines de fois ce retour vers les basses vibrations terrestres, et devine vers qui je me dirigeais alors? Vers toi, évidemment! Je suis ainsi allé à ta rencontre presque tous les jours, pendant une longue période de temps, un peu comme ta mère le fait avec ton père présentement. Tu te souviens quand nous

162

avions tous les deux nos habits de chair? J'étais toujours porté à te protéger, à te surprotéger même.»

Patrice acquiesça avec un petit air exaspéré, jetant à son camarade un drôle de regard. Combien de fois, en effet, Patrice avait-il reproché à son ami sa fâcheuse habitude d'être trop présent dans sa vie et par surcroît, de se montrer un tantinet moralisateur? Même s'il l'avait souvent invité à lui «foutre» la paix avec ses conseils, le cher Éric revenait toujours à la charge, comme un grand frère, poussé par un incompréhensible désir de veiller sur cet être si... compliqué.

«Eh bien! poursuivit Éric, ce rôle qui m'avait été dévolu, je l'ai repris même au-delà de la vie terrestre. J'ai fait le choix de continuer à t'aider et à te soutenir jusqu'à ce que tu arrives ici. Ainsi, je me retrouvais à tes côtés chaque fois que ton âme avait besoin de réconfort ou de clarté... Je communiquais alors avec toi de la même façon que tu viens de le faire avec ton père. J'en profite pour te faire remarquer que tu me recevais de la même manière que lui, c'est-à-dire en m'ignorant presque complètement. Ton proverbial entêtement à nier la présence de l'invisible et la réalité de ses subtiles manifestations, allié aux rares moments de silence que tu t'accordais, de peur de te retrouver seul avec toi-même, me rendaient la tâche bien difficile.

»Parfois, je réussissais à percer ton épaisse carapace et je te glissais quelques mots d'encouragement, surtout durant tes rêves. Alors, il se créait une merveilleuse ouverture dans ton âme et je pouvais y semer quelques graines. C'est peut-être grâce à elles si tu as accepté si facilement de suivre Éleutra quand il t'a rencontré errant dans le noir. Tu le sais, chaque graine mise en terre porte ses fruits, un jour ou l'autre. Il s'agit que le soleil les fasse germer!»

Le silence s'installa entre les deux hommes. Patrice ferma les yeux, comme pour mieux se remémorer les moments passés avec son grand ami. Combien de fois durant ses dernières années sur terre avait-il rêvé que son ami disparu lui parlait pour, à son réveil, mettre ces «manifestations» sur le compte de son imagination un peu trop fertile? Mais maintenant, il se rendait compte qu'il aurait dû être à l'écoute de ses rêves et qu'il aurait pu en tirer profit s'il avait pris la peine d'y être attentif. Cette prise de conscience permit également à Patrice de reconnaître certaines impressions qu'il avait ressenties dans les moments importants de sa vie: comme des chuchottements à l'oreille ou une force irrésistible qui l'entraînait ou le retenait afin qu'il ne fasse pas de bêtises.

«Les gens qui méditent, reprit Éric, ouvrent la porte à ces guides dont le rôle consiste simplement à les aider à poursuivre sereinement leur route. Ici, dans ce monde de lumière où nous nous trouvons, tout est silencieux, et pourtant, on ne s'ennuie jamais, n'est-ce pas? Par contre, sur la terre, chaque moment de solitude est perçu comme un manque quelconque, un espace vide qu'il faut immédiatement combler avec des bruits de toutes sortes, de la musique, des conversations souvent vaines et stupides, de folles escapades du mental, et j'en passe...

»Seul le silence constitue le terrain propice pour communiquer avec le monde de la lumière. Bien des gens ont été délaissés par leurs aides spirituels uniquement parce que ceux-ci n'arrivaient pas à traverser le mur de tintamarre qui les séparait.

»Il serait important d'apprendre aux enfants à apprivoiser le silence, à s'en servir comme d'un havre de paix où la communication avec leur "sage" intérieur devient possible. Toute réalisation peut s'établir sur des bases solides dans la quiétude du cœur.

»Si les humains pouvaient et voulaient connaître la puissance du silence, s'ils avaient le courage d'ouvrir toute grande la porte de leur intuition, ils verraient des armées d'êtres de lumière se précipiter vers eux et s'offrir à les guider dans leur quête du bonheur et de la compréhension de la vie.

»Heureusement, de plus en plus de personnes prennent conscience de ce moyen de communiquer intimement avec le plan divin. L'avenir appartient à ceux qui sauront écouter dans le silence les enseignements de leur partie divine. Un grand maître a dit un jour: *L'idéal du sage est une oreille qui écoute!* Mais pour écouter, il faut d'abord se taire. Des êtres en évolution entravent trop souvent la poursuite de leur mission uniquement parce qu'ils parlent trop et ne savent pas écouter leurs disciples!»

Ému, Patrice prêta une oreille attentive à ces paroles d'espoir que son ami lui offrait. Lorsqu'ils étaient sur terre, Éric avait souvent essayé de lui faire comprendre les réalités de l'âme, de la vie après la mort, de la communication avec des guides de lumière. En vain! L'éternel sceptique qu'il était avait chaque fois habilement détourné la conversation, rejetant ces «élucubrations ésotériques» d'un sourire moqueur, l'arme favorite des plus démunis en ce domaine.

Maintenant, leurs deux âmes s'étaient enfin retrouvées sur la même longueur d'onde. Patrice avait accepté de s'ouvrir à l'inconnu afin de savoir ce qui se cachait derrière le monde physique. Le goût de vivre, le désir d'évoluer avec une nouvelle conscience s'intensifiaient en lui. Il n'avait plus envie de se reposer, mais plutôt de retourner en bas, d'affronter de nouveau le monde, mais cette fois, armé de toutes les connaissances qu'il avait acquises depuis son arrivée dans cet étrange paradis.

Le tirant de ses rêveries, Éric lui lança avec, sur le visage, une expression amusée:

— Mais j'avais oublié de te le dire, tu es maintenant libre de partir, de te promener à ta guise dans cet univers où tu ne trouveras que des gens et des endroits en parfaite harmonie avec toi. Si je t'ai accueilli à ton arrivée, c'était simplement pour partager avec toi ces derniers instants avant ton accession à ce ciel prestigieux. Je tenais à te souhaiter la bienvenue dans ton véritable univers, qui se trouve à l'extérieur des murs de cette chambre. Ce milieu t'appartient maintenant, tu peux aller t'y prélasser à ton tour.

— Tu veux dire que je peux maintenant... m'envoler?

— Oui, certainement. Voler, courir, marcher, traverser les mers à la nage, scruter les fonds marins, danser avec les poissons les plus exotiques, bavarder avec les oiseaux, devenir une fleur, épouser ses couleurs et ses formes, la sculpter selon tes désirs, tout cela t'est désormais accessible, dans cet Éden merveilleux qui t'attend!

— Et... j'en ai pour longtemps à m'amuser ainsi, dans ce monde paradisiaque? demanda Patrice d'un ton plus ou moins rassuré.

— Jusqu'à ce que tu décides de retourner sur la terre pour continuer le travail que tu as entrepris sur toi-même. Cela peut durer des siècles... ou bien quelques minutes, selon ton bon vouloir, ton désir profond d'avancer. Certaines âmes très évoluées se

166

réincarnent presque instantanément après leur mort physique, car elles savent qu'elles n'ont pas un instant à perdre.

— Et toi, tu en as pour combien de temps encore?

Éric hésita visiblement embarrassé par la question.

— Très peu, maintenant. La seule raison qui me retenait encore sur ce plan était l'assistance que je devais t'apporter pour que tu t'en sortes plus facilement. En te voyant en ce moment si heureux et épanoui, je considère ma mission terminée et je suis donc prêt à reprendre un corps de chair le plus rapidement possible pour poursuivre ma route.

Patrice ressentit comme un choc. Il n'aurait pas cru que la séparation d'avec son meilleur ami se ferait si brutalement. Il aurait aimé que celui-ci l'accompagne, ne fût-ce qu'un certain temps, sur la route de ses «vacances» qui commençaient alors. Une question lui brûlait pourtant les lèvres. Pour quelle raison Éric avait-il été si longtemps obsédé par le désir de le sauver à tout prix, de le protéger jusqu'à en mourir? Sa question trouva vite une réponse.

— Il y a bien longtemps, commença Éric, nous étions, toi et moi, des soldats appartenant à une grande armée. Nous avons souvent combattu côte à côte. J'étais faible et sans agressivité alors que toi, tu étais costaud et courageux. Tu m'as sauvé la vie plus d'une fois à cette époque. J'ai alors prêté serment de te venir en aide chaque fois que tu en aurais besoin! Si j'avais su dans quelle galère je m'embarquais — les deux amis de rigoler de bon cœur —. Ce n'est que quelques vies plus tard que nos chemins se sont croisés à nouveau. J'ai alors dû remplir ma promesse. Maintenant que mon engagement a été tenu, je sens le besoin de me réincarner rapidement, sans perdre

167

une seconde. La vie m'appelle, Patrice, elle ne me laissera de répit que lorsque j'en aurai extrait toute la sagesse. Je pourrai alors retourner à la Source pour entreprendre une seconde étape de cette évolution extraordinaire qui nous appelle tous et nous incite constamment à avancer.

— Comme c'est étrange! fit remarquer Patrice. Tout ce que tu me dis résonne en moi comme un clairon appelant les troupes au combat. Si tu pouvais sentir monter en moi cette sève de vie! Puis-je te faire un aveu? J'adore cet endroit mais je ne sens pas le désir d'y demeurer longtemps! J'aurais peur de m'y ennuyer, surtout si tu n'es pas là pour... «faire la fête» avec moi. Éric, serait-il possible que je sois prêt à redescendre moi aussi, que ce désir de faire quelques pas de plus sur la voie de l'évolution me pousse à reprendre le boulot aussi rapidement?

Sans hésitation, Éric acquiesça d'un signe de tête, captant du regard la profondeur et la sincérité de la requête de son ami. Une nouvelle dimension à leur amitié venait de se sceller. Les deux compères se levèrent alors et quittèrent la chambre du pardon. Après en avoir franchi le seuil, ils se mirent à gambader comme des gamins qui sortent de l'école, empruntant le même sentier qui les avait amenés là où ils se trouvaient. Ils se fondirent peu à peu dans le paysage féerique, faisant de plus en plus corps avec cet univers qui les attendait. Dans cette atmosphère de joie exaltante, ils entreprirent tous deux le voyage de retour vers leur vie.

ÉPILOGUE

La petite chambre d'hôpital où se trouvait Marie était déjà illuminée par la présence de Jean-Pierre. Il avait voulu assister sa femme jusqu'au bout de sa belle «folie», celle d'avoir un dernier enfant avec l'homme qu'elle aimait tant. Cet amour qui était né dès leur première rencontre n'avait cessé de grandir depuis. Ces deux êtres dont le regard se fondait l'un dans l'autre chaque fois qu'ils se croisaient s'épanouirent peu à peu. Bien consciente de l'énergie qui se dégageait d'eux, Marie avait un jour suggéré à son époux de transmettre cet amour, de permettre à une âme de prendre vie pour qu'elle puisse à son tour goûter ce sentiment de plénitude qui les comblait. Jean-Pierre, qui ne pouvait rien refuser à sa belle princesse, accepta tout de suite sa proposition et leur vœu se réalisa très rapidement. Marie devint enceinte.

Tout le temps que dura sa grossesse, la future maman prit soin d'entretenir autour d'elle une ambiance de calme et de pureté intérieure.

Profondément convaincue que pour attirer une âme lumineuse, il lui fallait être elle-même une lumière, elle se voua entièrement à ce travail de purification. Cette période en fut une de révélation pour elle. Sa vie prenait enfin son sens véritable.

Benoît et Geneviève, les deux magnifiques enfants issus de son premier mariage se mirent également de la partie, préparant le terrain pour ce nouveau venu qui allait sûrement changer le cours de leur vie. (Ils ne savaient pas encore à quel point!) Ces longues semaines d'attente s'écoulèrent cependant si rapidement que tous furent surpris quand les premières contractions se firent sentir, annonçant l'imminence de l'arrivée du petit ange tant espéré.

Jean-Pierre conduisit sa femme à l'hôpital, après quoi les événements se précipitèrent. La future mère se retrouva presque aussitôt dans la salle de travail avec son époux. Tout se passait dans une harmonie remarquable. Même les fameuses douleurs étaient ressenties à leur minimum. Le médecin ainsi que les deux infirmières présentes n'eurent pratiquement qu'à assister à l'événement sans avoir vraiment à intervenir dans ce miracle de la naissance qui se déroulait sous leurs yeux.

Après quelques poussées, une petite tête se faufila à l'extérieur, glissant vers la nouvelle vie qui l'attendait, au grand ravissement de ses parents ébahis. «C'est un beau garçon!» s'écria le père en fondant en larmes. La tête du poupon était couverte de fins cheveux blonds et ses yeux innocents reflétaient sûrement l'élévation de l'âme qui l'habitait.

Le bonheur fut à son comble quand le médecin s'écria, avec un large sourire de contentement: «Attendez... il en vient un autre!»

Un second garçon, plus petit et plus frêle que le précédent, mais tout aussi vivant, emprunta alors le chemin tracé par son «grand frère». En quelques secondes, il se retrouva étendu à côté de celui-ci sur le ventre de sa mère, qui pleura de joie en voyant ces deux merveilleux cadeaux que lui avait envoyés le ciel.

Pendant un court instant, Marie eut une étrange sensation de déjà vu, comme si elle reconnaissait la nature des vibrations dégagées par ces âmes si pures. Ces pensées bizarres s'évanouirent cependant rapidement pour laisser place à l'intensité du moment présent.

Après les examens d'usage, les jumeaux furent emmaillotés et déposés avec tendresse dans le berceau commun. Avant de s'endormir, le plus costaud des deux se tourna légèrement la tête vers son frère, qui semblait un peu perturbé par tout le brouhaha qu'il y avait autour d'eux. Il lui jeta un regard empreint de complicité, comme s'il voulait lui dire: «Ne t'en fais pas, je suis là, tout va bien aller. Je t'ai à l'œil, tu sais... Encore une fois.»Ils échangèrent ensuite un tendre sourire complice sous le regard amusé de leur père, conquis par leurs charmantes manières. Ils s'endormirent aussitôt pour se rejoindre ailleurs...

Jean-Pierre était alors loin de se douter que le pacte d'amitié entre Éric et Patrice avait traversé l'espace-temps... L'ultime pardon avait permis ce rapprochement, en ouvrant toutes grandes les portes de l'amour à ces deux petites âmes à nouveau réunies...

Pour commentaire ou demande de renseignements concernant les ateliers et les conférences de Monsieur André Harvey, veuillez écrire à l'adresse suivante:

André Harvey
C. P. 384
Saint-Damien (Québec)
GOR 2YO

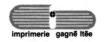

imprimerie gagné ltée

IMPRIMÉ AU CANADA